MICHEL SOKOLYK

avec la collaboration de Gilles Simard

Initiation à l'observation des oiseaux

LES ÉDITIONS DE L'HOMME

Initiation à l'observation des oiseaux

Photos: Michel Sokolyk
Conception de la maquette intérieure: Patrice Francœur

Données de catalogage avant publication (Canada)

Sokolyk, Michel

Initiation à l'observation des oiseaux
1. Oiseaux – Observation. 2. Oiseaux – Québec (Province).
3. Oiseaux – Québec (Province) – Ouvrages illustrés. I. Simard, Gilles.
II. Titre.

QL677.5.S64 1998 598'07'234 C97-941554-3

Ce livre a été produit grâce au système d'imagerie au laser des Éditions de l'Homme, lequel comprend:

- Un digitaliseur Scitex Smart TM 720 et un poste de retouche de couleurs Scitex Rightouch™;
- Les produits Kodak;
- Les ordinateurs Apple inc.;
- Le système de gestion et d'impression des photos avec le logiciel Color Central® de Compumation inc.;
- Le processeur d'images RIP 50 PL2 combiné avec la nouvelle technologie Lino Dot® et Lino Pipeline® de Linotype-Hell®.

DISTRIBUTEURS EXCLUSIFS:

- Pour le Canada et les États-Unis:
  MESSAGERIES ADP*
  955, rue Amherst,
  Montréal, Québec
  H2L 3K4
  Tél.: (514) 523-1182
  Télécopieur: (514) 939-0406
  * Filiale de Sogides ltée

- Pour la Belgique et le Luxembourg:
  PRESSES DE BELGIQUE S.A.
  Boulevard de l'Europe 117
  B-1301 Wavre
  Tél.: (010) 42-03-20
  Télécopieur: (010) 41-20-24

- Pour la Suisse:
  TRANSAT S.A.
  Route des Jeunes, 4 Ter
  C.P. 125
  1211 Genève 26
  Tél.: (41-22) 342-77-40
  Télécopieur: (41-22) 343-46-46

- Pour la France et les autres pays:
  INTER FORUM
  Immeuble Paryseine, 3, Allée de la Seine,
  94854 Ivry Cedex
  Tél.: 01 49 59 11 89/91
  Télécopieur: 01 49 59 11 96
  Commandes: Tél.: 02 38 32 71 00
  Télécopieur: 02 38 32 71 28

Dépôt légal: 1er trimestre 1998
Bibliothèque nationale du Québec

ISBN 2-7619-1431-7

À Louise, qui m'a appuyé pendant toutes ces années

INTRODUCTION

L'ornithologie amateur est la deuxième activité de plein air en importance en Amérique du Nord, regroupant plus de 40 millions d'adeptes au Canada et aux États-Unis. Quels motifs peuvent bien pousser autant de personnes à s'intéresser aux oiseaux? Les raisons sont nombreuses, les motivations, variées.

Les oiseaux exercent de toute évidence une grande séduction sur les êtres humains: l'éclat de leur plumage, la beauté de leur chant, la grâce de leurs mouvements, les particularités de leurs mœurs et leur ingéniosité naturelle sont autant d'attraits. De plus, l'homme accorde depuis des millénaires une grande valeur symbolique au privilège de voler; les oiseaux incarnent ainsi un idéal de liberté. Quoi qu'il en soit, les esprits curieux ne se lassent jamais d'observer les oiseaux qui s'alimentent à leurs mangeoires ou qu'ils repèrent dans la nature.

Le présent guide a été conçu pour les débutants qui connaissent à peine ou ne connaissent pas du tout les oiseaux, et qui désirent s'initier à l'art de les observer et de les identifier. Je tiens à signaler que, pour joindre les rangs de la vaste confrérie des ornithologues amateurs, aucune connaissance scientifique préalable n'est requise. L'ornithologue amateur est avant tout quelqu'un qui aime les oiseaux et qui s'adonne de façon régulière à leur observation, à domicile ou «sur le terrain», c'est-à-dire dans leurs habitats naturels. Les expressions «amateurs d'oiseaux» et «observateurs d'oiseaux» servent également à désigner les ornithologues amateurs.

Buse à queue rousse

Paruline du Canada

Le terme «amateur» peut laisser entendre que ce type de loisir se pratique à la légère. Rien n'est moins vrai. Les amateurs en question se prennent souvent à leur propre jeu et finissent par devenir des observateurs chevronnés dont la passion est sans limite. Ils développent alors un œil d'expert qui se manifeste notamment par la capacité d'identifier un oiseau en un temps record. Il n'est certes pas nécessaire d'accéder à ce niveau de compétence pour éprouver du plaisir; l'identification d'un nouvel oiseau, l'observation d'un spécimen rare, la découverte d'un détail de comportement inusité sont autant de sources de satisfaction. S'y ajoute le bonheur du contact avec la nature au fil des saisons.

L'observation des oiseaux est une activité de plein air qui favorise la bonne forme physique, en plus de donner un sens différent aux randonnées pédestres. Elle contribue à développer les réflexes visuels et auditifs, car repérer les traits marquants d'un oiseau exige un œil alerte. Les oiseaux ne se montrent pas tous coopératifs: ils chantent rarement sur commande et ne gardent pas toujours la pose convenable. Les vrais amateurs sortent des sentiers battus et s'arment de patience; ils savent se réjouir d'une apparition fugitive ou même d'un cri lointain à peine audible.

Jascur boréal

Si vous débutez, je vous recommande d'adhérer à un club d'ornithologie (voir liste à la page 173). Non seulement vous rencontrerez d'autres amateurs sympathiques, mais aussi des observateurs très expérimentés qui pourront vous aider et vous encourager. Vous serez invité à remplir, tout au long de l'année, des feuillets d'observations que vous remettrez aux préposés à la compilation. Ceux-ci les envoient au Service canadien de la faune, qui communique à son tour les observations exceptionnelles à l'American Birds. Les membres des clubs sont conviés à participer aux recensements périodiques des oiseaux de mangeoires ainsi qu'au recensement d'hiver annuel à la fin de décembre. Par ailleurs, ils peuvent s'initier à l'étude du phénomène des migrations par le baguage d'oiseaux. Tout amateur que vous soyez, vous pourrez ainsi contribuer directement à l'avancement des sciences naturelles.

Utilisation du guide

Je vous invite à lire ce guide dans l'ordre des chapitres et à réaliser, au fil de cette lecture, les expériences que je vous propose. Vous pourrez ensuite vous en servir comme manuel de référence. Les très nombreuses photographies pourront vous être d'une grande utilité pour

Grand harle (femelle)

l'identification des oiseaux, tant autour de chez vous que sur le terrain.

Le troisième chapitre est un véritable fichier d'initiation progressive à l'identification des oiseaux. Vous pouvez vous fixer des objectifs personnels pour chacune des trois catégories sous lesquelles j'ai regroupé 118 espèces d'oiseaux dont je considère l'identification comme à la portée des débutants.

Pour faciliter la lecture et agrémenter l'apprentissage, j'ai parsemé les divers chapitres d'anecdotes de photographe (*Coup d'œil sur…*) et le troisième chapitre de notes sur certaines espèces ou familles (*À propos des…*). N'hésitez pas à vous attarder aux photographies pour vous détendre… et pour apprendre à observer.

L'index alphabétique à la fin devrait vous permettre de trouver rapidement des renseignements sur les oiseaux qui vous intéressent.

Au sujet des noms des oiseaux

La nomenclature française des oiseaux de chez nous a connu pas mal de bouleversements dans les dernières décennies. En fait, les amateurs d'oiseaux ont dû s'adapter à deux réaménagements majeurs en moins de 15 ans. Le remue-ménage a commencé en 1983 quand le Musée des sciences naturelles du Canada a publié *Les Noms français des oiseaux de l'Amérique du Nord*; les auteurs des principaux guides d'oiseaux publiés postérieurement se sont ralliés à cette liste.

Dix ans plus tard, l'effort de normalisation francophone prenait une envergure planétaire avec la parution de l'ouvrage *Noms français des oiseaux du monde* (Éditions Multi-Mondes). Cette nomenclature fut adoptée dans les nouveaux manuels et guides consacrés aux oiseaux. En 1995, le ministère québécois de l'Environnement et de la Faune publia une *Liste de la faune vertébrée du Québec*, dans laquelle l'appellation des oiseaux s'alignait sur la nomenclature française internationale de 1993.

C'est ainsi que les fauvettes et les pinsons d'antan sont devenus des parulines et des bruants, et que notre bon vieux *Geai gris*, qui avait eu à peine le temps de s'afficher comme *Geai du Canada*, s'est vu affublé du vocable hybride *Mésangeai du Canada*.

Dans le but de ne pas dérouter les amateurs familiers avec les anciens noms ou qui utiliseraient des guides antérieurs à 1995, j'ai tenu à indiquer certaines appellations anciennes dans les fiches du chapitre 3 et dans la liste de l'annexe 2. Les noms anciens apparaissent également dans l'index alphabétique de la fin, avec le renvoi au nom officiel.

Cela dit, je considère comme important que les débutants apprennent à utiliser le nom exact en français. C'est pourquoi tous les noms d'espèces sont transcrits en italique, sauf dans les titres, les intertitres, les légendes, les tableaux et les annexes. Et conformément à l'usage, les noms d'espèces commencent tous par une majuscule.

COUP D'ŒIL SUR…
LE HARFANG DES NEIGES

Il y a quelques années, je n'arrivais pas à me défaire d'une obsession: photographier un *Harfang des neiges* sur un piquet de clôture. Habitué à ce genre de tourment, mais confiant, je pars un bon jour à la recherche du harfang qui voudrait bien se prêter gentiment à mon caprice. J'entreprends un parcours de 3000 kilomètres en plein hiver, qui me conduit, l'œil aux aguets, à Trois-Rivières Ouest, dans les plaines de Yamachiche, de Maskinongé et de Saint-Barthélémy, puis, de l'autre côté du fleuve, de Gentilly jusqu'à Notre-Dame-de-Pierreville. J'en ai vus, des harfangs. Et en maints endroits. Près du pont Laviolette, sur des lampadaires, sur des silos de ferme, au fond d'un champ, sur des pylônes d'Hydro-Québec. Mais aucun n'avait eu la bonne idée de se percher sur un piquet de clôture.

Revenu bredouille, je ne repris espoir qu'à la fin de mars lorsqu'un copain me téléphona: «Michel, il y a des harfangs à Baie-du-Febvre.» Sans faire ni une ni deux, je saute dans mon véhicule et me voici reparti! Le harfang était au rendez-vous, juché sur un piquet de clôture, de l'autre côté d'un bassin de sédimentation. Saisissant appareil-photo et trépied, je traverse le bassin glacé. Lentement, doucement… Peine perdue, l'oiseau m'aperçoit et mon rêve s'envole. Dommage! Si près du but!

De retour dans ma voiture, j'emprunte la route Janelle, qui mène au club Landeroche, tout près du fleuve. Soudain, j'aperçois un autre harfang perché sur une branche d'arbre, dans les étangs de Canards illimités*. Trop loin! Et il y a une clôture qui fait obstacle. Je dois capituler de nouveau.

Je décide à tout hasard de poursuivre ma route jusqu'au club. Dans une courbe, à ma gauche, à 3 mètres du sol, un autre harfang! Mon copain avait raison, les harfangs abondent dans les parages. Encadrement lumineux idéal, sur fond d'azur en plus! Vite, mon équipement! Quelques déclics. Soupirs de satisfaction. Mais pas encore le bonheur parfait…

À l'approche du club, un autre harfang surgit dans mon champ de vision: ô miracle, il trône sur un piquet de clôture. Cette fois, c'est la bonne, me dis-je fébrilement. Le rater serait impardonnable. J'avance de 5 mètres à pas de tortue. Je m'arrête. J'attends 10 longues minutes. Retenant mon souffle et mes gestes, je m'avance encore un peu, puis, nouvelle pause. Pour qu'il s'habitue à ma présence.

Le voici à 10 mètres. Je règle mon 600 mm. Il est toujours là. Je suis au comble de l'excitation. J'appuie sur le bouton autant de fois que je le désire. J'imagine déjà les clichés. Et si j'avançais encore un peu! J'ose… Oh! Je le sens devenir un peu nerveux. Je le fixe à travers l'objectif. Je pressens qu'il va s'envoler. Le voici qui donne un coup d'aile. Je déclenche. Fabuleux! J'ai capté l'envol d'un *Harfang des neiges*.

Finie mon obsession! C'est l'allégresse. Et pour ajouter à mon bonheur, un cinquième harfang, perché à 10 mètres du sol, accepte sans broncher que je déroule à ses dépends le reste de ma pellicule. Toutes ces émotions ont eu raison de ma mémoire, du moins pour quelques heures; j'ai beau chercher encore, c'est le noir total: pas le moindre souvenir de mon trajet de retour!

---

* Organisme sans but lucratif qui se consacre à la sauvegarde et à l'aménagement des habitats des canards et d'autres oiseaux aquatiques.

CHAPITRE PREMIER
L'IDENTIFICATION DES OISEAUX

CARACTÉRISTIQUES GÉNÉRALES D'UN OISEAU

Qu'est-ce qu'un oiseau? Par définition, c'est un ovipare appartenant à l'une des cinq classes de vertébrés; en d'autres termes, c'est un animal qui possède un squelette et pond des œufs.

La plupart des oiseaux volent et tous sont recouverts de plumes. Le plumage joue un triple rôle: permettre de voler, isoler son propriétaire contre le froid et la chaleur, faciliter le camouflage.

L'aspect des pattes varie en fonction du comportement de l'espèce; l'oiseau qui grimpe, celui qui marche et celui qui nage présentent des formes de pattes différentes, adaptées à leur mode de locomotion prédominant. De même, le bec de l'oiseau est-il adapté au type de nourriture qu'il recherche.

Si on examine de près un squelette d'oiseau, on constate que les os sont très souvent soudés l'un à l'autre et que bon nombre sont creux. L'oiseau y gagne plus de légèreté, une résistance accrue et un meilleur support aux muscles des ailes; bref, une aptitude supérieure à voler.

La nature ne saurait se passer des oiseaux. Insectivores et carnivores jouent un rôle déterminant dans la chaîne alimentaire. Par contre, les oiseaux présentent certains inconvénients: grands voyageurs, ils peuvent transmettre parasites et maladies d'un bout à l'autre de la planète.

Pic mineur

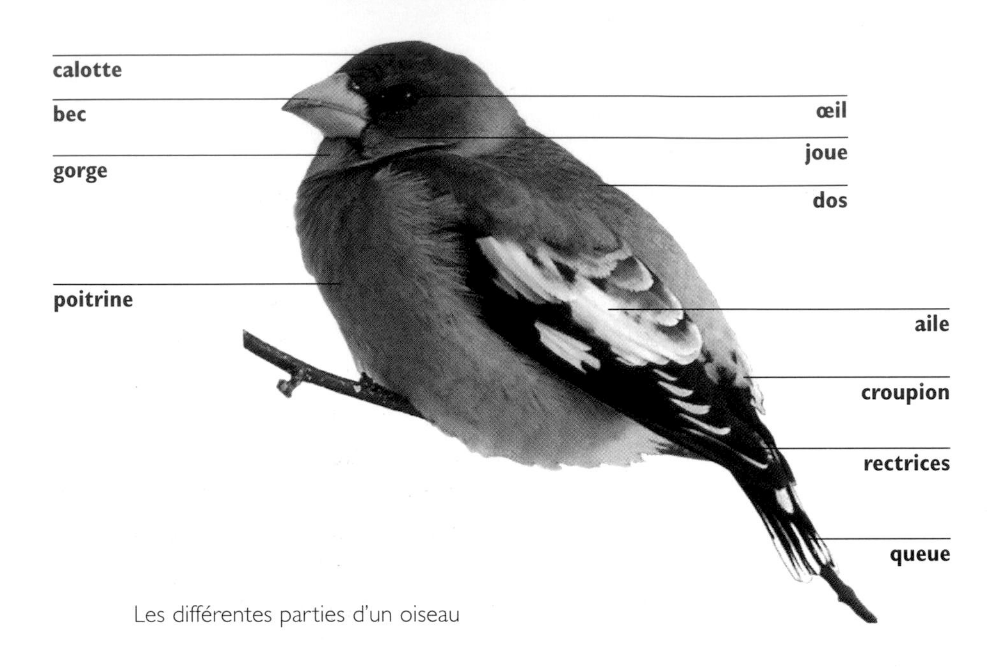

Les différentes parties d'un oiseau

Traits marquants

Pour un ornithologue amateur, l'art d'identifier les oiseaux s'acquiert par une pratique fondamentale: l'observation méthodique. Il faut avant tout s'habituer à percevoir les *traits marquants* de chaque espèce. La facilité viendra avec l'expérience et une bonne dose de patience. Vous pourrez alors identifier la plupart des oiseaux visibles au Québec. Deux règles déterminent le succès: bien observer et savoir comparer.

Avant d'énumérer les traits marquants, quelques remarques s'imposent. Ignorer que le plumage de l'oiseau présente son plus bel aspect au printemps et qu'il change de couleur en hiver, c'est s'exposer à bien des déconvenues. Il ne faudrait pas croire non plus que mâles et femelles se ressemblent toujours. Il est utile de savoir que bon nombre d'illustrations en couleurs présentées dans les guides d'identification sont des dessins; l'artiste visait à donner une idée de la couleur de l'oiseau, mais celle-ci peut varier beaucoup d'un manuel à l'autre. C'est pourquoi certains guides présentent plutôt des photos.

Voyons maintenant les traits marquants. Ces données élémentaires se retrouvent bien entendu dans presque tous les guides, mais il faut savoir que la plupart de ces caractéristiques ne seront perceptibles que sous un bon éclairage. Et rien ne remplace en la matière un rayon de soleil. Les traits marquants sont moins évidents dans la pénombre ou à contre-jour, quand l'oiseau s'interpose entre l'observateur et la source lumineuse.

Une identification précise nécessite, pour certaines espèces, de reconnaître plus d'un de ces traits marquants. Au fil de vos expériences d'observation, vous apprendrez aussi combien la mobilité du volatile risque d'écourter les périodes d'observation. Mais ne vous découragez surtout pas. Et donnez-vous des moyens de progresser, par exemple en installant un poste d'alimentation bien approvisionné ou en vous rendant dans un lieu d'observation réputé. Vous pourrez ainsi mieux exercer votre œil aux 13 traits marquants que voici, présentés selon une certaine logique d'observation:

Aspect global	**Parties**	**Traits spécifiques**
1. Couleur	4. Bec	10. Comportement
2. Taille	5. Calotte (tête)	11. Manière de grimper
3. Forme	6. Corps	12. Nage
	7. Ailes	13. Autres caractéristiques d'oiseau aquatique
	8. Queue	
	9. Pattes	

Cardinal rouge

Moqueur chat

Pour faciliter l'apprentissage, les traits sont présentés sous forme de questions.

Quelle est la *couleur* de l'oiseau?

L'oiseau est-il bleu, gris, noir, rouge...? Présente-t-il une couleur uniforme ou nuancée? plusieurs couleurs?

Notez que le plumage d'un oiseau atteint en général son plus bel aspect au printemps et en été, c'est-à-dire au cours de la période de reproduction. Par contre, le canard, très beau au printemps, mue durant l'été et retrouve toute sa splendeur à l'automne. D'autres oiseaux, superbes en

Moqueur roux

Quiscale bronzé

Chardonneret jaune en plumage d'hiver

Chardonneret jaune

été, tel le *Chardonneret jaune,* deviennent verdâtres en hiver. À contre jour ou sous un faible éclairage, la couleur n'est pas facile à percevoir. C'est dans ces moments-là que de bonnes jumelles lumineuses deviennent des alliées indispensables.

QUELLE EST SA *TAILLE*?

On peut estimer la taille d'un oiseau en la comparant avec une dimension familière (par exemple, la grosseur d'un œuf) ou, mieux, avec celle d'un autre oiseau bien connu (le moineau, par exemple).

Moineau domestique

Merle d'Amérique

Pigeon biset

Corneille d'Amérique

Carouge à épaulettes

En guise de référence, voici la taille de quelques oiseaux connus:

- Moineau domestique: 15 cm (6 po)
- Merle d'Amérique: 25 cm (10 po)
- Pigeon biset: 33 cm (13 po)
- Corneille d'Amérique: 45 cm (18 po)

Pour commencer à vous entraîner, pourriez-vous associer les oiseaux énumérés ci-après à l'un ou l'autre des oiseaux témoins ci-dessus? Par exemple, vous pour-

Tarin des pins

Bruant familier

Alouette hausse-col

Colibri à gorge rubis

riez dire que le *Carouge à épaulettes* est un peu plus petit que le *Merle d'Amérique* et plus gros que le *Moineau domestique*.

- Colibri à gorge rubis: 8,5 cm (3 1/2 po)
- Tarin des pins: 12 cm (5 po)
- Bruant familier: 13,5 cm (5 1/4 po)
- Alouette hausse-col: 18 cm (7 po)
- Carouge à épaulettes: 21 cm (8 1/4 po)
- Pluvier kildir: 25 cm (10 po)
- Tourterelle triste: 30 cm (12 po)

Tourterelle triste

Pluvier kildir

Étourneau sansonnet

Moqueur polyglotte

Quelle est sa *forme*?

Certains oiseaux sont élancés, comme le *Moqueur polyglotte,* d'autres, trapus, tel l'*Étourneau sansonnet.*

Quelle est la *forme de son bec*?

Le bec est-il court? gros? crochu? effilé? en forme de dague? tordu? en pointe de ciseau? en forme de passoire? en forme de lance? Est-il droit? long et mince? à bords dentelés?

La forme du bec donne une idée du type d'alimentation de l'oiseau. Le bec est court, pointu, solide et massif

Sizerin flammé

Sittelle à poitrine rousse

Buse à queue rousse

Pic chevelu

Paruline masquée

Bécasseau variable

chez les *granivores*, afin qu'ils soient en mesure de casser et de manger des graines. Il est pointu et fendu chez les *insectivores*, qui peuvent ainsi happer leurs proies en vol. De leur côté, les rapaces *carnivores* disposent d'un bec recourbé et acéré, apte à déchirer la chair vive. Enfin, le bec est long et pointu chez les oiseaux pêcheurs et mangeurs de poisson ou d'animaux des marais.

On appelle *omnivores* les oiseaux qui empruntent également leur nourriture à d'autres sources (liquides, graisses, plantes, etc.) ou qui se nourrissent indifféremment d'aliments d'origine animale ou végétale.

Bécassine des marais

Hirondelle bicolore

Gros-bec errant

Jaseur d'Amérique

Bruant hudsonien

QU'OFFRE DE PARTICULIER SA *CALOTTE*?

Dans le cas des passereaux, les détails de la calotte sont d'une grande importance. L'œil est-il surmonté d'une ou de plusieurs lignes? La calotte est-elle rayée? (Ne pas oublier d'examiner le reste de la tête, principalement le pourtour de l'œil.)

LE CORPS DE L'OISEAU PRÉSENTE-T-IL DES *MOTIFS PARTICULIERS*?

La poitrine de l'oiseau est-elle de couleur uniforme? tachetée? rayée?

Bruant à gorge blanche

Mésange à tête noire

Cardinal à poitrine rose

Chouette épervière

Pluvier kildir

QUELLE EST LA *FORME DES AILES*?

Si l'oiseau est en vol, observez la forme de ses ailes. Sont-elles larges? longues? courtes? étroites? pointues? arrondies? S'il est perché, profitez-en pour vérifier si elles sont de couleur uniforme. Sont-elles tachetées? décorées de bandes? Si oui, de quelle(s) couleur(s)? Couleurs simples? doubles? très nettes? ou difficiles à percevoir? Dans le cas des canards, remarquez les motifs des ailes; c'est la clé d'identification de l'espèce.

Il est plus facile d'identifier un rapace en plein vol que lorsqu'il est perché. Observer simultanément la forme

Urubu à tête rouge

Guifette noire

Petite Buse

Hirondelle bicolore

Colibri à gorge rubis

des ailes et de la queue, ainsi que le plan de vol de l'oiseau renseigne avec plus de certitude sur son identité. La couleur est un moins bon indice, difficile à distinguer en raison de l'altitude, et encore plus si le temps est gris ou si le rapace se trouve à contre-jour.

QUELLE EST LA *FORME DE SA QUEUE*?

Est-elle pointue? arrondie? encochée? carrée? fourchue? Comporte-t-elle des motifs? Il faut inclure ici la zone du croupion.

Geai bleu

Petite Buse

Pioui de l'est

Bilhoreau gris

Bruant des neiges

QUELLES CARACTÉRISTIQUES PRÉSENTENT SES *PATTES*?

Il y a un rapport étroit entre la forme du bec et les pattes. Certains oiseaux se perchent, d'autres grimpent aux arbres. Plusieurs espèces vivent au sol. Il y en a qui marchent sur la berge des cours d'eau. À ces comportements correspondent différentes formes de pattes.

Les biologistes utilisent avec profit une classification des oiseaux basée sur le type de pattes. Les *grimpeurs* possèdent deux griffes à l'avant et deux à l'arrière. Les *marcheurs* disposent de trois grandes griffes à l'avant et d'une petite à l'arrière. Les *percheurs* s'agrippent aux fils,

Canard colvert femelle

Foulque d'Amérique

Sizerin flammé

Grand Pic

aux branches ou à différents objets à l'aide de quatre griffes fortes, trois à l'avant et une à l'arrière. Les pattes des *nageurs*, enfin, sont munies de trois palmes.

Comment l'oiseau se comporte-t-il?

Son vol s'effectue-t-il en ligne droite ou de manière ondulée? Ses ailes battent-elles rapidement ou lentement? L'oiseau plane-t-il? Fait-il du vol sur place? Se nourrit-il au sol ou dans les arbres? Est-il timide ou hardi? Au sol, se déplace-t-il en marchant, en sautant ou en voletant? S'il se déplace sur le tronc d'un arbre, le fait-il en montant ou en descendant?

Oies des neiges

Pic chevelu

Sittelle à poitrine blanche

L'expérience vous apprendra beaucoup d'autres types de comportements avantageux à noter dans un but d'identification. Au fur et à mesure, vous vous laisserez prendre au jeu, tellement l'observation de ce trait marquant peut devenir fascinante.

GRIMPE-T-IL AUX ARBRES?

Certains oiseaux descendent le long du tronc tête première. Quelques-uns grimpent en spirale. D'autres montent en saccades et en s'appuyant sur leur queue.

Plongeon huard

Grèbe à bec bigarré

Gallinule poule-d'eau

Canard d'Amérique

Nage-t-il?

Est-ce un oiseau barboteur? Plonge-t-il? Sa ligne de flottaison est-elle haute ou basse par rapport au reste du corps?

Est-ce un oiseau aquatique?

Vit-il habituellement sur l'eau ou sur le rivage? Sonde-t-il la boue? Saisit-il plutôt ses proies en surface?

Un 14e trait marquant: le chant

Treize traits marquants peuvent faire sourciller les gens superstitieux. Heureusement, il y en a un quatorzième:

Bernache du Canada

Paruline à croupion jaune

Merlebleu de l'est

le *chant*. C'est évident, direz-vous. Pourquoi l'avoir omis dans la liste initiale? D'abord parce que les oiseaux ne chantent pas tous. En second lieu, parce que le chant est une caractéristique embarrassante pour l'identification de plusieurs espèces; il y a de quoi rebuter plus d'un débutant.

Certes, vous entendrez certains oiseaux s'identifier eux-mêmes phonétiquement par leur chant. Par exemple, la *Petite Buse* chante «ptit'buz», le *Pluvier kildir* crie «kildir» et le *Pioui de l'est* clame «pioui». Mais n'allez pas croire que c'est la règle générale. Il faut vraiment s'entraîner

Pioui de l'est

Bécasseau semipalmé

l'oreille. Et d'autant plus que, dans certains cas, seul le chant permet de distinguer deux espèces.

Pour vous *faire l'oreille,* faites-vous accompagner sur le terrain de gens qui connaissent bien les chants d'oiseaux et savent les repérer facilement. Certains observateurs chevronnés sont passés maîtres dans l'identification des oiseaux par leur chant; ils parviennent même à imiter les chants d'oiseaux avec un talent remarquable. Vous pouvez également avoir recours à des enregistrements de chants d'oiseaux sur cassette ou disque compact. D'excellentes versions sont produites au Québec.

Grand Héron

Coup d'œil sur...
LE MOQUEUR CHAT

Chaque année, un *Moqueur chat* vient nicher dans les bosquets près de chez moi. Même s'il fait entendre régulièrement son miaulement criard, il demeure très discret, à tel point que parvenir à le photographier relève un peu de l'exploit.

Ce jour-là, je retourne dans les bosquets pour la énième fois. Tiens! Le voici! Je fais quelques pas lents dans sa direction et, tout à coup, il entreprend ses vocalises. Je m'approche un peu plus, tout en ayant parfaitement conscience que ma cible est aux aguets. L'oiseau va-t-il oser se *moquer* de moi encore une fois?

Je m'avance encore un peu. Il se pointe à découvert. Je déclenche... mais, comme il a bougé, je sais que ce ne sera pas bon. Le voici à nouveau qui me regarde. La distance est parfaite: 3 mètres. J'actionne l'obturateur. Cette fois, ça y est!

Que se passe-t-il? Le moqueur, nullement effarouché, garde la pose. Serait-ce la chance qui me sourit? Hélas! je venais de prendre ma dernière photo. Plus de pellicule! Zut! Pour être honnête, j'avoue avoir plutôt laissé échapper le mot de Cambronne.

Morale de cette histoire:

Avant d'aller sur le terrain,
L'hiver, ou à la canicule,
Assurez-vous d'avoir en main
Ma foi! plus d'une pellicule.

CHAPITRE 2

ATTIRER LES OISEAUX POUR MIEUX LES OBSERVER

LE POSTE D'ALIMENTATION

Utilité d'un poste d'alimentation

Les détails à observer pour identifier les oiseaux sont nombreux et peuvent effaroucher les novices. Mais, comme pour tout apprentissage, il faut un peu de patience, de la détermination et, surtout, du temps. Le temps constitue la ressource principale de l'ornithologue amateur. Petit à petit, l'oiseau fait son nid; aucun proverbe ne saurait être plus approprié dans les circonstances. Il n'y a certainement pas lieu de vous décourager.

Commencez à observer dès maintenant, en commençant par des espèces qui vous sont déjà familières, mais dont vous auriez peine à énumérer plus de deux ou trois caractéristiques. Et faites venir chez vous d'autres espèces. C'est facile, il suffit d'installer un *poste d'alimentation.* C'est une expérience très stimulante, qui donne le goût d'apprendre, d'en savoir plus long sur les visiteurs qui se présentent.

Avec un poste d'alimentation à domicile, vous pourrez à loisir regarder, observer et noter, non pas un, mais plusieurs traits marquants pour chaque espèce. De plus, vous exercerez votre œil, vous développerez des réflexes d'observation qui vous seront bien utiles quand vous arriverez en terrain sauvage, dans un habitat naturel. Vous éprouverez alors ce plaisir gratifiant de pouvoir identifier à coup sûr un oiseau malgré le court délai qu'il aura bien voulu vous accorder.

Mésangeai du Canada

Bruants des neiges

Durbec des sapins

Composantes d'un poste d'alimentation

À la rigueur, le poste d'alimentation peut se réduire à une simple mangeoire. Les oiseaux en seront très heureux; vous également. Mais vous comprendrez rapidement l'avantage de plusieurs sources d'alimentation. D'abord, les espèces d'oiseaux ne sont pas indifférentes entre elles: les gros spécimens effarouchent les petits, les effrontés font reculer les timides. Cela ne veut pas dire que les petits oiseaux ne sont pas audacieux; bien au contraire! Pour leur taille, la *Mésange à tête noire* et la *Sittelle à poitrine rousse* font preuve d'une bravoure exemplaire.

Votre expérience, votre ingéniosité et, pourquoi pas, votre sens de la fantaisie contribueront à faire de vous un véritable rassembleur d'oiseaux. À titre de suggestions, voici ce que comporte mon poste d'alimentation:

- Le coin de **sol dégagé:** plusieurs oiseaux se nourrissent spontanément au sol, tels le *Gros-bec,* le *Geai bleu* et le *Bruant des neiges*. J'y étale quelques poignées de graines de tournesol et de millet blanc.

- La **chardonnière:** *Chardonnerets jaunes, Tarins des pins* et *Sizerins flammés* s'y donnent rendez-vous pour y déguster des graines de chardon.

Chardonnerets jaunes

Tarins des pins

• Pour **mésanges seulement:** il s'agit d'une petite mangeoire appelée «chickadee» (du nom anglais de la mésange) à laquelle s'agrippent sans difficulté les *Mésanges à tête noire* qui viennent y chercher une à une des graines de tournesol noires.

• La **noix de coco:** elle est percée d'un trou d'environ 4 cm (1 ½ po) de diamètre et se trouve suspendue au moyen d'un fil de fer. Une fois l'ouverture pratiquée, vous retournez la noix de coco et la laissez s'égoutter. Ne commettez pas la gaffe d'enlever la partie interne

Gros-bec errant

Mésange à tête noire

Mésange à tête noire

Sizerin flammé

Pic chevelu

comestible. Vous en priveriez les oiseaux qui, d'ailleurs, sont mieux outillés que vous pour l'extraire. J'ajoute au menu quelques graines de tournesol noires et des noix de Grenoble émiettées.

• La **mangeoire à débit contrôlé:** c'est le type de mangeoire le plus populaire; vous en trouverez des dizaines de modèles dans les quincailleries, les pépinières et même dans les épiceries et les pharmacies. Cette mangeoire attire *Geais bleus, Roselins pourprés* et *Gros-becs errants*. L'approvisionnement idéal demeure le tournesol noir.

Mésangeai du Canada

Gros-becs errants

Geais bleus

Mésange à tête noire

• Le **grand plateau couvert:** le «couvert» n'est pas de trop, car un plateau exposé aux intempéries (pluie, verglas, neige) entraîne inévitablement l'humidification et la fermentation des graines, ce qui a comme inconvénient majeur de les rendre carrément indigestes. Les visiteurs du grand plateau apprécieront le tournesol noir et les arachides.

• Le **distributeur de suif:** il suffit de ficeler un morceau de suif (graisse animale) dans un carré de filet découpé dans un sac d'oignons et de suspendre ce distributeur rustique à une branche. Vous verrez s'y activer avec

Gros-becs errants et Geai bleu

Pic chevelu

Pic chevelu

une frénésie surprenante les pics (*mineur* et *chevelu*), les *Mésanges à tête noire* et les *Geais bleus*. Un treillis métallique recouvert de plastique peut également servir à retenir le suif. Quelle que soit la méthode, il vous faudra placer cette nourriture à l'abri des prédateurs à quatre pattes. Sinon, votre poste d'alimentation deviendra rapidement le rendez-vous de toute la gent canine ou féline des environs.

- la **bûche de cèdre:** percez-y des petites cavités (diamètre: 4 cm ou 1 $^1/_2$ po; profondeur: 2 cm ou $^3/_4$ po), que vous remplirez d'un mélange maison inspiré de la recette

Mésange à tête noire

Pic mineur

Pic chevelu

suivante: **ingrédients:** 2 parties de gruau, 1 partie de fécule de maïs, 1 partie de beurre d'arachide, 1 partie de suif; **méthode:** faire fondre le suif, mélanger avec les ingrédients secs, laisser refroidir. Beaucoup d'amateurs bien intentionnés remplissent la bûche avec du beurre d'arachide seulement. Or ce produit, quand il est employé seul, adhère au bec de l'oiseau et peut l'embarrasser fortement.

• Le **filet** ou **treillis métallique:** l'illustration, en haut, à gauche, montre ici une pochette de filet remplie du mélange précédent.

Les couleurs du Roselin pourpré (photo de gauche) sont beaucoup plus éclatantes que celles du Roselin familier (photo de droite). Aussi à la mangeoire, un Tarin des pins.

Durbecs des sapins

Tourterelle triste

• La **mangeoire à trois étages:** comme le distributeur à débit contrôlé, il s'agit d'un accessoire largement commercialisé. En hiver, le tournesol noir demeure l'aliment le plus approprié.

• Le **plateau ouvert:** même si l'humidité s'y développe plus rapidement, le plateau ouvert est utile aux oiseaux qui prennent facilement ombrage… de l'ombre! Certains oiseaux s'affolent dès qu'une toiture les surplombe et les prive d'une portion de leur champ de vision. On vérifiera régulièrement l'état des graines et on éliminera celles qui sont humides.

La meilleure place pour un poste d'alimentation se situe à proximité des arbres. En cas d'affluence, les oiseaux disposeront de perchoirs. La *Mésange à tête noire* vous en saura tout particulièrement gré, elle qui, le bec rempli… d'une graine de tournesol, s'envole immédiatement à la recherche d'une petite branche où elle pourra la saisir entre ses griffes et en grignoter l'amande. Les conifères font office de refuges. En s'y camouflant, les oiseaux se sentent protégés des assauts des prédateurs aériens (*Pie-grièche, Épervier brun, Petite Nyctale*) et à l'abri des mauvaises surprises terrestres, comme les chats.

Pour terminer cette section, j'insiste sur l'importance d'une bonne alimentation. Guide d'achat: tournesol noir, millet blanc, chardon, suif de bœuf, beurre d'arachide (combiné à notre savant mélange), noix de Grenoble, maïs concassé, saindoux (graisse de porc fondue). Déconseillés: avoine, blé entier, orge entière et, même si cela peut surprendre, les mélanges pour oiseaux sauvages.

Les oiseaux qui fréquentent les mangeoires

Beaucoup de gens associent spontanément le terme «oiseau» à «migration». La première fois qu'ils aperçoivent des oiseaux à une mangeoire en hiver, ils ne peuvent cacher leur étonnement. Comment? Les oiseaux ne partent pas tous pour le sud à l'automne? Si ces personnes sont le moindrement curieuses, elles finissent par apprendre qu'une vingtaine d'espèces environ s'accommodent fort bien de la neige. En voici la liste:

- Bruant des neiges
- Cardinal rouge
- Chardonneret jaune
- Durbec des sapins
- Étourneau sansonnet
- Geai bleu
- Gélinotte huppée
- Gros-bec errant
- Mésange à tête noire
- Mésangeai du Canada
- Moineau domestique
- Pic chevelu
- Pic mineur
- Pigeon biset
- Roselin pourpré
- Sittelle à poitrine blanche
- Sittelle à poitrine rousse
- Sizerin flammé
- Tourterelle triste

Leur fréquence d'apparition dépend de votre lieu de résidence. Car même si l'hiver ne parvient pas à les

Minette et mes oiseaux ne font pas bon ménage.

intimider, certains oiseaux préfèrent la campagne à la ville.

Vous entreprenez de nourrir les oiseaux en hiver? Votre décision est beaucoup plus importante que vous ne le croyez. L'oiseau qui, tout heureux, s'amènera à votre mangeoire ne sait pas à quel point la confiance qu'il vous porte le rend fragile. La moindre défaillance dans l'approvisionnement de votre poste d'alimentation risque de provoquer sa perte à plus ou moins brève échéance. Nourrir un oiseau en hiver, c'est lui fournir de quoi se réchauffer. Si votre visiteur fidèle se trouve privé de son apport calorifique quotidien, le froid sera sans pitié à son égard et ne pardonnera pas votre négligence.

Durant les beaux jours, les oiseaux sont moins dépendants de la subsistance que nous leur offrons. Mais, côté observation, l'intérêt est loin d'être négligeable. En saison clémente, le nombre d'espèces assidues aux mangeoires atteint facilement la quarantaine (incluant les espèces mentionnées plus haut). Si vous poursuivez l'approvisionnement de votre poste d'alimentation au-delà des mois d'hiver, vous pourrez de votre fenêtre ou de votre chaise de parterre observer les espèces suivantes:

- Bec-croisé à ailes blanches
- Bruant à couronne blanche
- Mésange à tête brune
- Mésange à tête noire

- Bruant à gorge blanche
- Bruant chanteur
- Bruant des neiges
- Bruant hudsonien
- Cardinal rouge
- Carouge à épaulettes
- Chardonneret jaune
- Colibri à gorge rubis
- Durbec des sapins
- Étourneau sansonnet
- Gélinotte huppée
- Geai bleu
- Grand Pic
- Grimpereau brun
- Gros-bec errant
- Jaseur boréal
- Junco ardoisé
- Merle d'Amérique
- Mésangeai du Canada
- Moineau domestique
- Moqueur polyglotte
- Pic chevelu
- Pic flamboyant
- Pic mineur
- Pigeon biset
- Quiscale bronzé
- Roitelet à couronne dorée
- Roselin familier
- Roselin pourpré
- Sittelle à poitrine blanche
- Sittelle à poitrine rousse
- Sizerin blanchâtre
- Sizerin flammé
- Tarin des pins
- Tourterelle triste
- Vacher à tête brune

PRÉSENCE DES OISEAUX AUX MANGEOIRES

À l'aide d'un tableau comme celui que je vous propose à la page suivante, vous pourrez noter le fruit de vos séances d'observation et en comparer le contenu avec d'autres amateurs. Les renseignements recueillis proviennent du même poste d'alimentation. Ils n'ont la prétention ni d'être complets ni d'être invariables. La pratique de l'observation des oiseaux présente un cachet d'originalité qui la rend différente pour chaque personne, quoique dans l'ensemble les résultats notés finissent inévitablement par se recouper. C'est ce qui confère au tableau suivant une certaine utilité de référence.

Fréquentation mensuelle des mangeoires par les oiseaux

Nom de l'oiseau	Mois de présence aux mangeoires J	F	M	A	M	J	J	A	S	O	N	D
Bruant à couronne blanche					✓	✓			✓	✓		
Bruant à gorge blanche				✓	✓	✓		✓	✓			
Bruant chanteur				✓	✓	✓	✓	✓	✓	✓		
Bruant des neiges	✓	✓	✓	✓	✓					✓	✓	✓
Bruant hudsonien	✓	✓			✓						✓	
Cardinal rouge	✓											✓
Carouge à épaulettes				✓	✓	✓	✓	✓		✓		
Chardonneret jaune				✓	✓	✓	✓	✓				
Colibri à gorge rubis				✓	✓	✓	✓	✓				
Durbec des sapins	✓	✓	✓	✓							✓	✓
Étourneau sansonnet	✓	✓	✓	✓	✓	✓	✓	✓	✓	✓	✓	✓
Geai bleu	✓	✓							✓	✓	✓	✓
Grand Pic					✓	✓	✓	✓				
Grimpereau brun			✓						✓			
Gros-bec errant	✓	✓	✓	✓	✓					✓	✓	✓
Jaseur boréal	✓											
Junco ardoisé			✓	✓				✓	✓	✓		
Merle d'Amérique				✓	✓	✓	✓	✓	✓			
Mésange à tête brune			✓	✓								
Mésange à tête noire	✓	✓	✓	✓	✓	✓	✓	✓	✓	✓	✓	✓

Nom de l'oiseau	Mois de présence aux mangeoires J	F	M	A	M	J	J	A	S	O	N	D
Mésangeai du Canada										✓	✓	
Moineau domestique	✓	✓	✓	✓	✓	✓	✓	✓	✓	✓	✓	✓
Moqueur polyglotte				✓	✓							
Pic chevelu	✓	✓			✓	✓				✓	✓	✓
Pic flamboyant					✓	✓	✓	✓	✓			
Pic mineur	✓	✓			✓	✓			✓	✓		✓
Pigeon biset	✓	✓	✓	✓	✓	✓	✓	✓	✓	✓	✓	✓
Quiscale bronzé				✓	✓	✓	✓	✓	✓	✓		
Roitelet à couronne dorée				✓						✓		
Roselin familier					✓	✓					✓	✓
Roselin pourpré					✓	✓	✓	✓	✓			
Sittelle à poitrine blanche	✓	✓	✓								✓	✓
Sittelle à poitrine rousse	✓	✓								✓	✓	✓
Sizerin blanchâtre				✓								
Sizerin flammé	✓	✓	✓	✓								
Tarin des pins			✓	✓								
Tourterelle triste					✓	✓	✓	✓	✓	✓		
Vacher à tête brune				✓	✓	✓						

LE JARDIN D'OISEAUX

Enthousiasmés par l'observation à domicile, certains amateurs d'oiseaux ne se contentent plus d'un poste d'alimentation. Ils aménagent ce qu'on appelle un jardin d'oiseaux, c'est-à-dire un ensemble harmonieux de plantes et d'arbustes qui a pour but non seulement d'enjoliver le terrain ou les alentours de la maison, mais aussi d'attirer diverses espèces d'oiseaux. Le principe en est encore l'alimentation, mais il ne s'agit plus d'aliments fournis par l'homme; c'est la nature elle-même qu'on aménage pour pourvoir aux besoins alimentaires des oiseaux (et, dans certains cas, à leur besoin d'abri ou de refuge).

Pareille entreprise demande plus de temps et de travail que l'installation d'un poste d'alimentation. Mais loin de moi l'idée de vous suggérer un projet de jardin botanique! Haies, arbres, arbustes ou fleurs, les plantes susceptibles d'attirer les oiseaux chez vous ont toutes une valeur décorative reconnue. La profusion des fruits (baies rouges, blanches, orangées) et la floraison abondante et colorée qui les précède susciteront peut-être chez vous un intérêt aussi grand qu'à l'endroit des oiseaux eux-mêmes.

On trouve sur le marché de plus en plus de guides de jardins d'oiseaux (livres et revues). Mais je m'en voudrais de ne pas présenter ici, dans le but d'aider ceux qui voudraient tenter l'aventure, un tableau des plantes dont raffole la gent ailée:

Pimbina

Sorbier

Plusieurs de ces plantes casse-croûte poussent à l'état sauvage. Vous trouverez en pleine nature le Pimbina, le Sureau blanc ou rouge, le Cerisier de Virginie, le Cerisier de Pennsylvanie (très commun et mieux connu sous le nom de Merisier rouge ou Petites Merises), l'Amélanchier ou Petites Poires (beaucoup plus rare) et l'Aubépine (ou Cenellier). Moyennant une démarche courtoise de votre part, les propriétaires campagnards se feront un plaisir de vous autoriser à en prélever sur leur terrain. Vous obtiendrez de meilleurs résultats en respectant les dates de transplantation, du 15 mai au 15 juin et du 15 septembre au 15 octobre.

Sureau blanc

Sureau rouge

Amélanchier

Chèvrefeuille

	Cardinal à poitrine rose	Colibri à gorge rubis	Durbec des sapins	Étourneau sansonnet	Gélinotte huppée	Grives	Gros-bec errant	Jaseur boréal	Jaseur d'Amérique	Merle d'Amérique	Moqueurs	Pics	Roselin pourpré
Amélanchier						✓							
Aubépine					✓		✓			✓			✓
Cerisier de Virginie	✓		✓		✓	✓	✓		✓	✓	✓	✓	✓
Chèvrefeuille		✓							✓				
Cornouiller stoloniphère							✓		✓	✓			✓
Houx verticillé	✓								✓	✓	✓		

Pommetier

Cerisier

Cornouiller

Aubépine

	Cardinal à poitrine rose	Colibri à gorge rubis	Durbec des sapins	Étourneau sansonnet	Gélinotte huppée	Grives	Gros-bec errant	Jaseur boréal	Jaseur d'Amérique	Merle d'Amérique	Moqueurs	Pics	Roselin pourpré
Pimbina (Viorne trilobée)			✓		✓			✓	✓				
Pommetier			✓				✓	✓	✓				✓
Sorbier commun (des oiseleurs)			✓						✓	✓			✓
Sureau blanc	✓								✓		✓		
Sureau rouge	✓					✓			✓				
Symphorine (blanche)			✓				✓		✓	✓			

Symphorine

Houx

Les nichoirs artificiels

Sans être des mordus d'observation, beaucoup de gens, au printemps, agrémentent leur entourage de cabanes d'oiseaux toutes aussi pittoresques les unes que les autres. Les bricoleurs s'en donnent à cœur joie. Si vous ne possédez pas ce talent, ne vous alarmez pas. Vous trouverez sur le marché des modèles attrayants et satisfaisants.

Selon le diamètre de l'ouverture, vos locataires se recruteront parmi les *Hirondelles noires,* les *Hirondelles bicolores,* les *Merlebleus de l'est* et les *Troglodytes familiers,* mais aussi (de façon moins pittoresque) parmi les *Moineaux domestiques* et les *Étourneaux sansonnets.*

Il est possible que, à l'occasion, un membre de la famille des pics ajuste l'ouverture à ses dimensions; vous accueillerez alors un *Pic flamboyant,* un *Pic chevelu* ou encore un *Pic mineur.* Les *Sittelles à poitrine blanche* ou *rousse,* les *Mésanges à tête noire* ou *brune* et les *Grimpereaux bruns* se dispenseront d'effectuer pareilles transformations, mais apprécieront tout de même le gîte.

On a déjà vu des *Merles d'Amérique* et des *Tyrans huppés* adopter ces résidences artificielles. Même le *Canard branchu,* le *Garrot commun* et le *Harle couronné* acceptent de se mettre à l'heure des nichoirs pourvu que ceux-ci soient adaptés à leurs besoins. Et je ne vois pas pourquoi des rapaces comme la *Petite Nyctale,* le *Petit-duc maculé* ou la *Crécerelle d'Amérique* bouderaient des refuges construits tout spécialement pour eux!

Enfin, je n'apprendrai rien aux connaisseurs en disant que certaines espèces préfèrent s'abriter sous les toits des bâtiments (*Hirondelle rustique, Hirondelle à front blanc*), sous les ponts ou à l'intérieur des aires couvertes (*Hirondelle à ailes hérissées, Moucherolle phébi*), dans les cheminées

(*Martinet ramoneur*) ou tout simplement sur les toits plats des immeubles (*Engoulevent d'Amérique*).

Les dates d'arrivée et de départ des oiseaux

Dans l'esprit d'un profane, l'expression «arrivée des oiseaux» pourrait laisser croire que tous les oiseaux partent… puisqu'ils reviennent! Or, la réalité est plus complexe. Notons d'abord qu'il existe cinq groupes importants. Les naturalistes ont établi cette répartition sur une année et en fonction des particularités de séjour propres aux différentes espèces.

1. Les oiseaux **nicheurs sédentaires** (les habitués) n'effectuent aucune véritable migration. Ils se déplacent plutôt à l'intérieur d'un territoire limité. Ainsi en est-il de la *Gélinotte huppée,* du *Grand Pic* et de l'inévitable *Moineau domestique*.

2. Les oiseaux **nicheurs résidants** (les promeneurs) passent l'année avec nous, même si, occasionnellement, ils tentent des mouvements de migration, comme le *Geai bleu,* la *Mésange à tête noire* et le *Gros-bec errant.*

3. Les oiseaux **hivernants** (les vacanciers) nichent plus au nord durant l'été et descendent vers le sud en hiver. C'est le cas du *Bruant des neiges* et du *Sizerin flammé.*

4. Les oiseaux **nicheurs migrateurs** (les vrais) arrivent du sud au printemps. Ils nichent chez nous et repartent à l'automne. Le *Merle d'Amérique*, l'*Hirondelle bicolore,* les bruants, le *Jaseur d'Amérique* et les rapaces agissent de cette façon.

5. Les oiseaux **accidentels** (les marginaux) apparaissent un moment donné, sans pourtant figurer sur la liste des oiseaux du Québec méridional. Ainsi, un jour, une *Grive à collier* (dont l'Ouest canadien constitue l'habitat de prédilection) s'est présentée, en plein centre du Québec, devant l'objectif de mon appareil-photo! Ce sont des rencontres à caractère exceptionnel.

Dix années d'observation méthodique, pratiquée au jour le jour entre le début de février et la fin d'octobre, m'ont permis de dresser le calendrier suivant, indiquant les dates les plus fréquentes d'arrivée et de départ de certains oiseaux. Ces dates s'appliquent à la région de la Mauricie et doivent donc être corrigées selon la situation géographique (plus ou moins deux semaines). Cette liste incomplète n'est évidemment présentée qu'à titre d'exemple.

Date	Espèces
Mi-février	Arrivée de l'Alouette hausse-col et de la Corneille d'Amérique
27 mars	Arrivée du Carouge à épaulettes
30 mars	Arrivée du Vacher à tête brune
2 avril	Arrivée du Merle d'Amérique
3 avril	Arrivée du Bruant hudsonien, du Junco ardoisé et du Quiscale bronzé
5 avril	Arrivée du Pluvier kildir
11 avril	Arrivée du Grand Héron, du Martin-pêcheur d'Amérique, du Roitelet à couronne dorée et de l'Urubu à tête rouge
13 avril	Arrivée du Merlebleu de l'est
3 mai	Départ des bernaches vers le nord
6-12 mai	Arrivée du Bruant à couronne blanche, du Tyran tritri et du Viréo à tête bleue

Mi-mai	Arrivée de l'Hirondelle à front blanc
Mi-mai	Arrivée du Colibri à gorge rubis et des parulines
Mi-juillet/début d'août	Les bécasseaux commencent leur migration vers le sud
Début de septembre	Départ du Colibri à gorge rubis
Début de septembre	Rassemblements de parulines
17 octobre	Départ du Grand Harle (attroupement de 500 à 700 près de chez moi), arrivée du Bruant des neiges

Dressez votre propre liste en y ajoutant d'autres espèces de votre environnement et en corrigeant les dates pour les espèces déjà mentionnées. Cet exercice, qui peut devenir une excellent stimulant pour l'observateur, requiert cependant une vigilance quotidienne dans les périodes cruciales.

Les migrations d'oiseaux constituent un phénomène intrigant, dont la science n'a pas encore réussi à percer tous les secrets. En consignant vos observations, vous serez peut-être en mesure d'attester, un de ces jours, avec un pincement de nostalgie, le dernier passage d'un oiseau. Qui sait? Plusieurs espèces sont en voie de disparition…

SUR LE TERRAIN

Au point où vous en êtes, vous admettrez sans doute que, pour parvenir à identifier un oiseau, la méthode la plus naturelle, la plus simple et en même temps la plus sûre consiste à repérer ses traits marquants. Cet exercice vous a d'ailleurs été rendu facile par l'installation d'un poste d'alimentation. Grâce à cette astuce, bon nombre d'oiseaux ont accepté gentiment de venir parader sous vos yeux. Bon nombre? Combien d'espèces au juste? En hiver, avec un brin de chance, une vingtaine tout au plus; et le double à la belle saison!

L'ornithologue le moindrement curieux n'a pas d'autre choix que d'aller *sur le terrain.* Loin d'être désagréable, cette pratique de loisir comporte plusieurs avantages, notamment le plaisir d'une activité en plein air et le bénéfice de l'exercice physique.

Les illustrations présentées dans ce guide proviennent toutes de photographies prises sur le terrain. Elles vous seront utiles pour identifier les oiseaux, mais elles vous permettront aussi de prendre conscience que, même si vous connaissez parfaitement toutes les caractéristiques d'un volatile, ce dernier ne vous les laissera pas toujours percevoir aisément. Cela dépend des circonstances de l'observation.

Vous trouverez au chapitre 4 des conseils sur l'équipement indispensable à l'ornithologue «sur le terrain», mais le plus important est d'avoir une idée de ce que l'on recherche. Le chapitre suivant est un répertoire fondamental des espèces les plus courantes selon diverses caractéristiques. Vous devrez vous familiariser avec ce répertoire avant d'aller sur le terrain. Et je vous suggère de consulter l'annexe 4 pour connaître les espèces les plus susceptibles de fréquenter un milieu donné.

Coup d'œil sur...
LE GEAI BLEU

Inoubliable, cette journée du 8 mars 1997 où il m'a été donné de vivre une expérience qui me laisse encore songeur! Voici ce qui s'est passé. Tout d'abord, j'étais loin de penser, ce jour-là, que la tournée matinale de mon poste d'alimentation (pure routine s'il en est) allait me réserver pareille surprise. Un *Geai bleu* se ravitaillait au sol et, selon toute probabilité, allait s'envoler à mon approche. Mais non! Pas cette fois.

Même à 2 mètres de distance, il ne bronchait pas et me regardait accomplir mon rituel quotidien: millet au sol pour mes *Bruants des neiges,* graines de tournesol dans la mangeoire «chickadee» pour mes mésanges, et ainsi de suite. Un mètre nous séparait et ce geai affichait toujours la même audace, ou la même inconscience, je ne saurais dire. «Tu veux bien te montrer coopératif? lui dis-je en moi-même. Ça mérite une photo!»

Me voici aussitôt parti avec l'intention de ramener ma batterie au grand complet (caméscope, appareil-photo, trépied, objectifs). Eh oui! Il est encore là; il m'attendait sûrement. Sans montrer le moindre signe d'inquiétude, il se prête gentiment à tous les déclics. Tiens! Le voilà perché dans mon frêne! Appareil en main, je continue à déclencher. Pas nerveux du tout, ce *Geai bleu!*

Tant qu'à y être, pourquoi ne pas tenter une caresse amicale? On verra bien si je rêve! Il se laisse faire! C'est à n'y rien comprendre! J'ai réussi le rare exploit de toucher à un *Geai bleu.* Non, je ne conte pas de blague, car j'ai capté toute la scène sur vidéo.

CHAPITRE 3
RÉPERTOIRE FONDAMENTAL

Je vous présente maintenant une série de fiches constituant ce que je considère comme le répertoire fondamental de l'ornithologue au stade de l'initiation. Ce répertoire compte 118 espèces d'oiseaux qui peuvent être observés au Québec dans différents milieux: zones aquatiques, forêts de conifères, forêts mixtes, régions champêtres, etc.

Chacune des fiches inclut:

- le nom français selon la nomenclature officielle de l'Association québécoise des groupes d'ornithologues (AQGO); parfois j'ai ajouté, entre parenthèses, une appellation populaire mieux connue;
- le numéro de classification, toujours selon l'AQGO (voir page 186);
- la taille de l'oiseau (minimum et maximum);
- les traits marquants les plus évidents;
- quelques indications sur l'habitat.

Naturellement, chaque fiche s'accompagne d'une photo. Je suis convaincu que, au premier stade de votre apprentissage, l'examen attentif des photographies vous sera plus utile que la lecture obstinée de cent lignes descriptives, si pertinentes soient-elles.

Pour faciliter votre apprentissage, j'ai regroupé les fiches en trois grandes séries, correspondant en quelque sorte à trois degrés de difficulté. Vous commencerez donc par une

Mésange
à tête noire

série de 49 espèces faciles à identifier, notamment en raison de la taille des oiseaux, de l'accessibilité de leur habitat ou encore de certaines caractéristiques très marquées. La deuxième série regroupe des oiseaux plus difficiles à identifier; l'observation visuelle ne suffira pas toujours et il vous faudra peut-être avoir recours au chant de l'oiseau pour distinguer deux espèces; cette série inclut des oiseaux dont le plumage change avec les saisons, ce qui complique l'identification. La troisième série regroupe des oiseaux que je qualifie de discrets: ils se dérobent au regard et à l'observation, ils se cachent, se fondent dans leur environnement ou n'agissent que la nuit; ce sont les premiers beaux défis de l'ornithologue amateur débutant.

Il me fallait déterminer un ordre de présentation dans chaque série. J'ai tout simplement choisi la taille de l'oiseau, du plus gros au plus petit. Parmi les fiches, j'ai inséré quelques notes sur certaines familles ou espèces, qui vous permettront de respirer un peu tout en enrichissant vos nouvelles connaissances; ces notes sont intitulées *À propos de...*

Allez-y progressivement et n'attendez surtout pas d'avoir appris par cœur toutes les données avant d'observer sur le terrain. Car le véritable apprentissage, c'est là qu'il doit se faire et nulle part ailleurs.

OISEAUX FACILES À IDENTIFIER (49)

Vous ne pouvez pas les manquer, vous pourrez aisément les identifier à coup sûr. D'abord, parce que plusieurs d'entre eux sont de gros oiseaux ou encore à cause de leur intérêt pour les voyages en groupe; on parle de ces derniers surtout au pluriel. Pensez aux bandes imposantes, comme les *Oies des neiges*, les *Bernaches du Canada* et les

Goélands à bec cerclé. Certains présentent des dimensions plus modestes, comme les *Bruants des neiges* et les *Gros-becs errants*. Quelques-uns sont assidus aux postes d'alimentation, comme la *Mésange à tête noire*. Chez d'autres, la couleur à elle seule permet d'identifier l'oiseau; c'est le cas du *Cardinal rouge*, du *Chardonneret jaune* et du *Geai bleu*. La fréquence d'apparition et la tendance à vivre en aire ouverte peuvent également servir de critères; le *Merle d'Amérique*, par exemple, arpentera votre pelouse tous les matins durant l'été.

Grand Héron

Feuillet d'observations: n° 063
Taille: 97-137 cm
Traits marquants: Oiseau long de couleur gris-bleu. Bec jaunâtre long et pointu. Au stade adulte, il a du blanc sur la tête, avec une bande noire, s'étendant depuis le dessus de l'œil jusqu'à la nuque, qui se transforme en huppe. Les pattes, vert brunâtre, sont longues, ainsi que le cou.
Habitat: Îles boisées, eaux libres peu profondes: fossés, étangs, marais, baies.

Fou de Bassan

Feuillet d'observations: n° 052
Taille: 88-102 cm
Traits marquants: Oiseau de mer Blanc. Le bec grisâtre, effilé et très pointu est un peu plus long que la tête. Teintes de jaune sur la tête et le cou. La peau autour des yeux est noire. Ailes aux extrémités noires. Queue pointue.
Habitat: Falaises, plateau supérieur de certaines îles, comme l'île Bonaventure.

Bernache du Canada

Feuillet d'observations: n° 089
Taille: 92 cm
Traits marquants: Tête, bec et cou noirs, avec une grande tache blanche sur chaque joue. Parties supérieures du corps et ailes brun grisâtre. Sous-caudales blanches. Croupion noirâtre. Queue et pattes noires.
Habitat: Étangs, lacs, rivières, marais, marécages boisés, prés, tourbières de la forêt boréale et de la toundra arctique.

Cormoran à aigrettes

Feuillet d'observations: n° 054
Taille: 73-89 cm
Traits marquants: Grand oiseau aquatique noir au lustre verdâtre. Le bec tacheté de jaunâtre est long, mince et crochu. Iris vert. Pattes noires. Poche gulaire jaune.
Habitat: Proximité des lacs, rivières d'eau douce, estuaires et eaux côtières salées. Dans les îles et les arbres. C'est le seul cormoran que l'on puisse vraisemblablement observer à l'intérieur des terres.

Oie des neiges

Feuillet d'observations: n° 096
Taille: 71,1-83,8 cm
Traits marquants: Oiseau blanc. Bec rosé, aux côtés noirâtres. Tête souvent teintée de roux. Le cou, la partie inférieure des pattes et l'extrémité des ailes sont blancs. Pattes et pieds rougeâtres.
Habitat: En migration, dans les champs inondés: Baie-du-Febvre, Cap-Tourmente. Niche dans l'Arctique.

À propos des... goélands

Les goélands sont des oiseaux robustes, au vol lent et puissant. Leur nombre vous impressionnera parfois. Familiers des plans d'eau (mer, fleuve, lacs, rivières), on les retrouve aussi dans les champs fraîchement labourés et, en milieu urbain, dans les dépotoirs publics.

Goéland marin

(Goéland à manteau noir)

Feuillet d'observations: n° 280
Taille: 71-78,5 cm
Traits marquants: Plus gros que le *Goéland argenté*. Bec jaune garni d'une tache rouge. Dos et ailes noirs. Pattes de couleur rosâtre.
Habitat: Oiseau maritime, très commun le long du fleuve Saint-Laurent. Îles, falaises, monticules rocheux.

Goéland à bec cerclé

Feuillet d'observations: n° 285
Taille: 45,5-51 cm
Traits marquants: Bec jaune entouré d'une bande noire. Manteau gris. Extrémité des ailes noire. Le reste du corps est blanc. Pattes jaune verdâtre.
Habitat: Zones agricoles et urbaines, îles pourvues de végétation herbacée.

Corneille d'Amérique

Feuillet d'observations: n° 488
Taille: 43-53 cm
Traits marquants: Le trait le plus marquant de cet oiseau, c'est d'être connu de tous! Bec plutôt long. Reflets bleu verdâtre ou violet plus prononcés sur le dos, les ailes et la queue. Pattes noires.
Habitat: Champs, pâturages, villes, forêts ouvertes. Fréquente les postes d'alimentation.

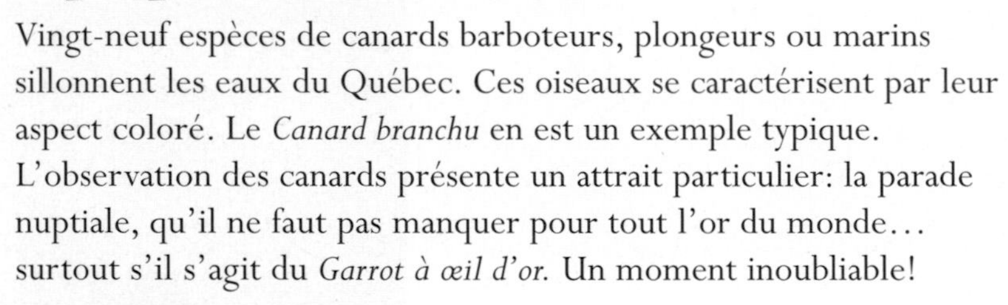

À propos des... canards

Vingt-neuf espèces de canards barboteurs, plongeurs ou marins sillonnent les eaux du Québec. Ces oiseaux se caractérisent par leur aspect coloré. Le *Canard branchu* en est un exemple typique. L'observation des canards présente un attrait particulier: la parade nuptiale, qu'il ne faut pas manquer pour tout l'or du monde... surtout s'il s'agit du *Garrot à œil d'or.* Un moment inoubliable!

Canard branchu

Feuillet d'observations: n° 118
Taille: 43-53 cm
Traits marquants: Bec rouge. Tête vert irisé, d'un bleu intense devenant noir violacé sous les yeux. Huppe tombante. Ligne blanche au-dessus de l'œil. Le cou porte un arc blanc. Poitrine et flancs marron. Dos et croupion vert bronzé. Milieu du dos beige. Queue vert foncé.
Habitat: Milieux forestiers humides, lacs, étangs. Ce canard se perche dans les arbres. Niche volontiers dans les nichoirs.

Gélinotte huppée

Feuillet d'observations: n° 184
Taille: 40,5-48 cm
Traits marquants: Oiseau brun-roux. Huppe sur la tête. Poitrine rayée. Queue en éventail et rayée avec un large bande noire près du bout.
Habitat: Forêts de feuillus ou mixtes.

À propos des... oiseaux noirs

Les «oiseaux noirs» disputent aux alouettes le titre de premiers arrivants du printemps. Ce sont le *Carouge à épaulettes,* le *Vacher à tête brune,* le *Quiscale bronzé,* l'*Étourneau sansonnet* et, bien entendu, la *Corneille d'Amérique,* tous fidèles visiteurs de mon poste d'alimentation. Leurs vocalises, il faut bien le reconnaître, sont loin d'être harmonieuses. Aucun sommeil ne résiste à ce concert matinal où grincements de charnières, sifflements suraigus et autres bruits indéfinissables composent une cacophonie des plus rebutantes.

Quiscale bronzé

Feuillet d'observations: n° 678
Taille: 28-34 cm
Traits marquants: Plumage noir irisé à reflets bleu verdâtre ou violacé sur la tête, le cou et le haut de la poitrine. Pattes et bec noirs. Œil blanc jaunâtre. Dos bronzé ou pourpré terne. Queue cunéiforme.
Habitat: Marais, étangs, tourbières, champs. Fréquente les mangeoires.

Pigeon biset

Feuillet d'observations: n° 341
Taille: 28-34 cm
Traits marquants: De coloration variable, mais typiquement gris. Barres alaires noires. Croupion blanchâtre. Queue longue à bout sombre.
Habitat: Milieux urbains, fermes.

Tourterelle triste

Feuillet d'observations: n° 345
Taille: 28-33 cm
Traits marquants: Oiseau dodu au corps élancé. De couleur brune. Petite tête. Queue longue et pointue. Du blanc sur les rectrices extérieures est visible en vol.
Habitat: Milieux urbains et agricoles, boisés clairsemés, bosquets de conifères et de feuillus. Fréquente les mangeoires.

Geai bleu

Feuillet d'observations: n° 478
Taille: 28-31,5 cm
Traits marquants: Huppe et partie supérieure bleu cobalt. Parties inférieures gris blanchâtre. Porte un collier noir. Les ailes et la queue sont parsemées de points blancs. C'est un oiseau bruyant.
Habitat: Forêts mixtes et conifériennes, boisés de la banlieue et des régions agricoles. Fréquente les mangeoires.

Pluvier kildir

Feuillet d'observations: n° 225
Taille: 23-28,5 cm
Traits marquants: Le kildir symbolise le retour du printemps. Parties supérieures brunâtres et parties inférieures blanches. Double bande pectorale noire. Croupion cannelle. Oiseau bruyant qui crie son nom: [kildî] .
Habitat: Milieux ouverts à végétation peu abondante, pâturages, fossés en bordure des routes, terrains contenant du gravier.

À propos des... merles

Rares sont les gens qui ne connaissent pas le *Merle d'Amérique* (improprement appelé *Rouge-gorge*). On croirait un oiseau domestique tellement la proximité des maisons lui est naturelle. Le Québec compte deux espèces de merles: celui dont on vient de parler et un autre, remarquable par l'attrait de son plumage, le *Merlebleu de l'est*.

Merle d'Amérique

Feuillet d'observations: n° 539
Taille: 23-27,5 cm
Traits marquants: Bec jaune. Tête, nuque et côtés noirs. Petite tache blanche dans la région des yeux. Dos gris foncé et poitrine rouge brique.
Habitat: Milieux ruraux et résidentiels: fréquente nos pelouses. Forêts clairsemées de feuillus ou de conifères.

Crécerelle d'Amérique

Feuillet d'observations: n° 178
Taille: 22,5-27 cm
Traits marquants: Petit rapace aux ailes pointues: faucon de la taille d'un geai. Motif facial noir et blanc. Les ailes du mâle sont bleu-gris. Queue et dos roux. Cet oiseau peut voler sur place, grâce à un battement rapide des ailes; chaque période de stabilité est suivie alors d'un déplacement en U. Perché, il agite la queue.
Habitat: Milieux ouverts: champs, prés, lisière des forêts.

À propos des... pics

Les pics constituent une famille bien caractéristique de nos forêts. Qui ne connaît ces tambourineurs obstinés, à la recherche d'insectes ou de larves, qui, du fond de leurs galeries, se croient ingénument à l'abri des prédateurs? La plupart de nos pics fréquentent les postes d'alimentation. Il va sans dire que l'hiver et le printemps demeurent les périodes d'observation idéales, puisque le feuillage ne les dissimule plus.

Pic chevelu

Feuillet d'observations: n° 422
Taille: 21,5-26,5 cm
Traits marquants: Pic de taille moyenne, à bec fort et proportionnellement plus long que celui du *Pic mineur.* Plumage carrelé et tacheté de noir et blanc. Le mâle a une petite tache rouge à l'arrière de la tête. Large rayure au centre du dos, abdomen blanc. Possède quatre doigts. Peu farouche.
Habitat: Forêts décidues à maturité, forêts clairsemées mixtes et conifériennes, banlieue boisée. Fréquente les mangeoires.

Durbec des sapins
(Dur-bec des pins)

Feuillet d'observations: n° 703
Taille: 23-24,5 cm
Traits marquants: Coloration rouge-rose terne. Taille forte. Bec gros, fort et noirâtre. Abdomen et grande partie des côtés et des flancs gris. Ailes sombres marquées de deux barres blanches. Queue assez longue et légèrement fourchue. Peu farouche.
Habitat: Forêts boréales. Fréquente les postes d'alimentation.

Carouge à épaulettes
Feuillet d'observations: n° 665
Taille: 19-25,5 cm
Traits marquants: Oiseau entièrement noir (y compris le bec et les pattes), sauf les épaulettes rouges à lisière jaune. Très facile à identifier.
Habitat: Marais à quenouilles et à scirpes, champs en culture, bord des routes, pâturages. Fréquente les mangeoires.

Cardinal rouge
Feuillet d'observations: n° 687
Taille: 19-23,5 cm
Traits marquants: Mal identifier cet oiseau serait impardonnable. Plumage rouge vermillon. Bec fort et coniforme. Étroite tache noire autour de la base du bec, qui est rouge. Tête huppée. Gorge noire.
Habitat: Orée des bois, fourrés, buissons près de l'eau, bord des champs, jardins, parcs. Fréquente les postes d'alimentation.

Tyran tritri

Feuillet d'observations: n° 433
Taille: 19,5-22 cm
Traits marquants: Partie supérieure ardoise noirâtre. Le dessus et les côtés de la tête sont noirs et les parties inférieures blanches. Poitrine gris pâle. Queue assez longue à extrémité blanche. Agressif vis-à-vis de ses congénères, cet oiseau défend son territoire avec ardeur.
Habitat: Le long des routes de campagne. Perché sur un fil ou un piquet de clôture. Ne se préoccupe aucunement de dissimuler son nid.

Étourneau sansonnet

Feuillet d'observations: n° 569
Taille: 19-21,5 cm
Traits marquants: Bec effilé et pointu, jaune au printemps, noir en hiver. Plumage irisé avec reflets violacés et verts. Sur les ailes, quelques points chamois. Queue courte et carrée. Pattes brun rougeâtre.
Habitat: Terrains dégagés couverts d'herbes courtes, villes, campagnes, boisés. Fréquente les mangeoires.

À propos des... hirondelles

L'arrivée des hirondelles déclenche en moi un regain de bonne humeur et de poésie. Tous les ans, selon un rituel immuable, *Hirondelles bicolores, à front blanc* ou *rustiques* voient éclore leur nichée autour de ma maison. Seule l'*Hirondelle noire,* logeant plus au sud, manque au rendez-vous. Bien que les hirondelles ne soient pas des chanteurs de première classe, leur gazouillis léger ne manque pas de charme. Et peut-on imaginer vol plus gracieux? Croyez-moi, rares sont les oiseaux qui réunissent autant d'atouts de séduction!

Hirondelle noire

Feuillet d'observations: n° 475
Taille: 18,5-21,5 cm
Traits marquants: La plus grosse de nos hirondelles. Plumage bleu violacé foncé et chatoyant. Ailes et queue noirâtres.
Habitat: Villes, parcs urbains, fermes, maisonnettes.

Cardinal à poitrine rose

Feuillet d'observations: n° 689
Taille: 18-21 cm
Traits marquants: Bec fort de couleur pâle. La tête, le cou, la gorge et une grande partie du dos et des ailes sont noirs. Grande tache rouge sur la poitrine. Le dessous est blanc. Barres alaires blanches. Chant semblable à celui du Merle d'Amérique, mais plus intense et plus pur.
Habitat: Forêts clairsemées ouvertes, boisés en régénération, bordure des cours d'eau, lacs, étangs, marais.

Gros-bec errant

Feuillet d'observations: n° 698
Taille: 17,5-21,5 cm
Traits marquants: Bec gros, fort et large, de couleur blanc jaunâtre. Dessus de la tête noir. Front jaune. Le cou et le haut du dos sont olive brunâtre foncé, devenant jaune. Grandes taches alaires blanches. Queue noire. Pattes brunâtres.
Habitat: Forêts de conifères, de feuillus ou mixtes. Fréquente les postes d'alimentation de façon sporadique.

Vacher à tête brune

Feuillet d'observations: n° 679
Taille: 17-21 cm
Traits marquants: Bec court noir. Tête et cou bruns. Le reste du corps est noir avec des reflets verdâtres et violacés. Queue à bout carré. Pattes noires.
Habitat: C'est le seul oiseau qui se reproduit en parasitant des nids. Milieux ouverts, pâturages, champs, pelouses. Fréquente les postes d'alimentation.

Chevalier grivelé
(Chevalier branlequeue)

Feuillet d'observations: n° 239
Taille: 17,5-20,5 cm
Traits marquants: Bout du bec foncé. Dos brunâtre. Pattes pâles. Partie inférieure du corps parsemée de taches noires arrondies sur fond blanchâtre. En vol, les ailes tendues sont arquées vers le bas.
Habitat: Rives des lacs et des cours d'eau. Orée des bois, carrières de gravier, champs, bord des routes, fossés, tourbières.

Goglu des prés
(Goglu)

Feuillet d'observations: n° 661
Taille: 16,5-20,2 cm
Traits marquants: Très facile à reconnaître. Nuque jaune pâle. Parties inférieures noires et dessus en grande partie blanc. Au moment de l'envol, il chante d'une façon très distinctive.
Habitat: Fréquente les champs et les prés où l'on trouve de grandes herbes. Champs de foin.

Merlebleu de l'est

Feuillet d'observations: n° 546
Taille: 16,5-19 cm
Traits marquants: Tête, dos et queue bleu ciel. Poitrine, côtés et flancs brun rougeâtre. Chant doux et remarquable. Se range avec raison parmi nos oiseaux préférés.
Habitat: Campagne, nichoirs artificiels.

Tangara écarlate

Feuillet d'observations: n° 683
Taille: 16,5-19 cm
Traits marquants: Oiseau facile à identifier, mais discret. Rouge écarlate aux ailes et à la queue noires. Chante comme un merle enroué.
Habitat: Forêts décidues et mixtes.

À propos des... bruants

On ne peut nier que ces petits granivores-insectivores aient un fort penchant pour le gris. En général, ils ont le bec court, le dos strié et ils se nourrissent au sol. Comme ils se ressemblent beaucoup, leur identification cause des problèmes... surtout quand on sait que le territoire québécois en héberge 17 espèces (en résidence ou de passage). Le recours aux traits marquants et au type d'habitat s'impose, à l'exception du *Bruant des neiges* et du *Bruant à couronne blanche,* très faciles à reconnaître.

Bruant à couronne blanche

Feuillet d'observations: n° 760
Taille: 16,5-19 cm
Traits marquants: Très facile à identifier à cause des rayures noires et blanches sur la tête. Plumage gris. Taille plutôt forte. Bec rosâtre. Se distingue nettement du Bruant à gorge blanche.
Habitat: De passage au printemps et à l'automne aux postes d'alimentation, avant de poursuivre sa route vers la taïga et la toundra.

Hirondelle rustique

(Hirondelle des granges)

Feuillet d'observations: n° 472
Taille: 14,8-19,5 cm
Traits marquants: Ressemble à l'*Hirondelle à front blanc,* mais plus élancée. Gorge et front marron. Parties supérieures bleu-noir et dessous chamois. Queue fourchue et marquée de taches blanches.
Habitat: Sur des structures artificielles: ponts, granges, maisons.

Pic mineur

Feuillet d'observations: n° 423
Taille: 16,1-18,5 cm
Traits marquants: Imaginez un *Pic chevelu* en plus petit et vous aurez un *Pic mineur,* à l'exception du bec, plus court que la tête. Les deux espèces ont un aspect identique.
Habitat: Vergers, parcs urbains, banlieue boisée, forêts décidues et mixtes. Fréquente les postes d'alimentation.

Bruant à gorge blanche

Feuillet d'observations: n° 764
Taille: 16-18 cm
Traits marquants: Taille assez forte. Bec noirâtre. Calotte rayée noir et blanc. Remarquer le jaune entre le bec et l'œil. Gorge blanche. Poitrine grise. Dos chamois. C'est lui qui chante le fameux [kachtonkufrédérik]!
Habitat: Milieux forestiers, abord des forêts mixtes et conifériennes. Vient aux mangeoires. Se nourrit au sol.

Bruant des neiges

Feuillet d'observations: n° 776
Taille: 15-18,5 cm
Traits marquants: Très blanc. La face, la poitrine et les côtés sont teintés de roux. Le bout noir des ailes est visible en vol. Pattes noires. Se tient en bande.
Habitat: Descend dans le sud du Québec à l'automne. Nous le trouvons dans les champs d'herbe et le long des routes de campagne. Fréquente les postes d'alimentation en milieux ouverts. Se nourrit au sol.

Bruant chanteur

Feuillet d'observations: n° 770
Taille: 15,3-17,5 cm
Traits marquants: La poitrine est fortement rayée avec un point foncé au centre.
Habitat: Milieux ouverts avec des arbustes, végétation dense près de l'eau, lisière des forêts. Se nourrit au sol. Fréquente les postes d'alimentation.

Moineau domestique

Feuillet d'observations: n° 655
Taille: 14,7-17 cm
Traits marquants: Oiseau robuste. Bec fort. Dessus de la tête, nuque et croupion gris. Tache marron depuis les yeux jusqu'à la nuque. Un peu de blanc derrière les yeux. Un peu de noir entre les yeux et la base du bec. Rayures noires sur le dos. Bande alaire blanche. Queue brun foncé.
Habitat: Ville, banlieue et campagne. Fréquente les mangeoires.

Junco ardoisé

Feuillet d'observations: n° 744
Taille: 14,5-16,5 cm
Traits marquants: Bec rose pâle. Cou, dos, flancs, croupion de couleur ardoise uniforme. Poitrine blanche. En vol, remarquer les deux bandes blanches de chaque côté de la queue.
Habitat: Forêts mixtes et conifériennes. Privilégie les clairières et les secteurs moins boisés. Fréquente les postes d'alimentation. Se nourrit au sol.

À propos des... roselins

On trouve au Québec deux espèces de roselins: le *pourpré,* aux couleurs voyantes, et le *familier,* au plumage plus terne. Ce dernier n'est pas à proprement parler un oiseau indigène. Originaire du sud-ouest des États-Unis, il fut introduit dans l'Est par accident au début des années 40; plusieurs individus furent relâchés à Long Island, dans l'État de New York, par un commerçant qui les gardait illégalement en captivité dans le but de les vendre.

Roselin pourpré

Feuillet d'observations: n° 699
Taille: 14-16 cm
Traits marquants: Tête, cou, poitrine rouge framboise, mais plus intense sur la tête et sur le croupion. Bec fort, court, conique. Dos rayé brunâtre ainsi que chaque côté des mâchoires. Chant bien modulé et remarquable.
Habitat: Fréquente divers milieux: conifériens, mixtes ou feuillus. Lisière de ces forêts, boisés près de l'eau, routes, marais, parcs urbains. Présent aux mangeoires.

À propos des... sittelles

Les sittelles sont des petits oiseaux aisés à reconnaître par leur manière originale de se déplacer, la tête en bas, le long des arbres. Au poste d'alimentation, elles savent se faire respecter, manifestant une agressivité étonnante pour leur taille. Observez-les. Vous les verrez s'envoler avec une graine de tournesol à la recherche d'un creux d'écorce pour l'y insérer et, une fois la graine stabilisée, parvenir à en extraire l'amande. Elles exécutent cette manœuvre la tête en bas. Comme il se doit!

Sittelle à poitrine blanche

Feuillet d'observations: n° 509
Taille: 13-15,5 cm
Traits marquants: Ressemble un peu à une *Mésange à tête noire,* mais son comportement est différent. Bec effilé et pointu. Calotte noire. Cou, face, dessous du corps blancs. Dos gris bleuâtre. Pattes noires.
Habitat: Forêts de feuillus. Fréquente les mangeoires.

Hirondelle bicolore

Feuillet d'observations: n° 469
Taille: 12,5-15,7 cm
Traits marquants: Petit oiseau magnifique qui, pour défendre son territoire, pousse l'agressivité jusqu'à voler au-dessus de nos têtes. Bec court et petit. Chez le mâle, les parties supérieures sont d'un bleu métallique lustré à reflets verdâtres et les parties inférieures blanches. Ailes pointues. Oiseau aérodynamique.
Habitat: Près de l'eau. Milieux ouverts. Nichoirs.

Hirondelle à front blanc

Feuillet d'observations: n° 473
Taille: 12,5-15 cm
Traits marquants: Oiseau trapu. Tête et dos bleu foncé. Gorge et côtés de la tête marron. Tache blanchâtre sur le front. Poitrine, côtés, flancs brun grisâtre. Abdomen blanchâtre. Croupion rouille. Queue carrée et sombre. Construit ses niches en forme de gourde sur les murs des maisons ou sous les ponts.
Habitat: S'agrippe aux structures construites par l'homme: maisons, gares, ponts.

Mésange à tête noire

Feuillet d'observations: n° 495
Taille: 12,3-14,5 cm
Traits marquants: Petit oiseau rondelet à bec court. Bavette et capuchon noirs. Joues blanches. Dos gris olive entremêlé de chamois. Ailes et queue ardoise. Sans ce petit oiseau, qui incarne le bonheur et la joie de vivre, l'hiver serait plus difficile à traverser.
Habitat: Forêts mixtes ou feuillues, milieux arbustifs urbains. Fréquente les mangeoires.

Sizerin flammé

Feuillet d'observations: n° 709
Taille: 11-15 cm
Traits marquants: Tache rouge vif sur le dessus de la tête, la gorge et la poitrine. Menton blanc. Le reste des parties supérieures brun grisâtre, marqué de rayures foncées et blanc grisâtre. Croupion blanc grisâtre et marqué de larges rayures.
Habitat: Fréquente les mangeoires. Présence incertaine en hiver.

Chardonneret jaune

Feuillet d'observations: n° 711
Taille: 11,4-14 cm
Traits marquants: Plumage jaune serin. Bec jaune orangé devenant noirâtre vers le bout. La calotte, le front en avant des yeux et la plus grande partie des ailes ainsi que la queue sont noirs. Taches de blanc sur les ailes et le croupion. Pattes brun pâle.
Habitat: Bordure des routes, des forêts et des rivières, parcs, jardins, champs cultivés ou en friche, marais. Fréquente les postes d'alimentation.

Tarin des pins

(Chardonneret des pins)

Feuillet d'observations: n° 710
Taille: 11-13 cm
Traits marquants: Oiseau fortement rayé. Bec effilé. Parties supérieures brun grisâtre et rayées. Parties inférieures blanc terne et rayées brun foncé. Jaune à la base des rémiges et des rectrices. Bandes alaires blanchâtres. Queue encochée.
Habitat: Forêts mixtes et conifériennes, milieux ruraux et périurbains. Fréquente les mangeoires. Absent certains hivers.

Sittelle à poitrine rousse

Feuillet d'observations: n° 510
Taille: 10,2-12,4 cm
Traits marquants: Bec noir plus petit que chez la *Sittelle à poitrine blanche*. Calotte et cou noirs. Face blanche. Une bande bleu-noir traverse l'œil. Dos bleu grisâtre ou gris bleuâtre. Dessous roux.
Habitat: Forêts conifériennes ou mixtes arrivant à maturité. Fréquente les postes d'alimentation.

Colibri à gorge rubis
(Oiseau-mouche)

Feuillet d'observations: n° 389
Taille: 7,5-9,4 cm
Traits marquants: La gorge du mâle varie de rouge rutilant à noirâtre selon la posture. Partie supérieure vert lustré ou irisé. Poitrine et centre de l'abdomen blanc grisâtre. Côtés brun grisâtre entremêlé de vert lustré. Queue fourchue.
Habitat: Jardins, vergers, clairières, bordure des forêts mixtes et feuillues.

Oiseaux déroutants (45)

Voici une deuxième série d'espèces qui vous rendront la tâche un peu plus compliquée. Dans certains cas, l'observation visuelle sera insuffisante pour identifier l'oiseau; vous devrez alors avoir recours au chant, peut-être même à l'habitat, pour distinguer des espèces entre elles, comme les moucherolles et le *Pioui de l'est.* On retrouve dans cette série plusieurs types de canards, principalement à cause des modifications du plumage en cours d'année. Parfois, c'est le comportement du volatile qui rend l'identification ardue; par exemple, certains oiseaux, surtout des rapaces et des oiseaux de rivage, se tiennent à distance de l'être humain et des zones habitées. Les moqueurs sont plus visibles, mais ils sont drôlement intrigants; là où vous croirez avoir entendu un chat, il s'agira bel et bien d'un moqueur dont les ressources vocales permettent l'exécution fidèle d'un miaulement sec et plaintif. Voici donc 45 espèces d'oiseaux attachants, mais tout aussi déroutants.

Plongeon huard

(Huart à collier)

Feuillet d'observations: n° 001
Taille: 71-89 cm
Traits marquants: Gros et long. Bec fort et pointu. Tête et cou noirs au lustre verdâtre. Collier blanc incomplet. Abdomen blanc. Dos en damier. Nage à demi submergé.
Habitat: Lacs d'au moins cinq hectares.

Petite Buse

Feuillet d'observations: n° 157
Taille: 34-42 cm
Traits marquants: Tête beige foncé. Jaune à la base du bec. Dessous des ailes blanchâtre. Parties supérieures de couleur blanche et brun foncé. Queue courte avec des bandes noires et blanches presque égales en largeur. Crie son nom [ptitbuz] de manière aiguë. Nullement farouche, se perche sur une branche ou sur un poteau de téléphone.
Habitat: Forêts de feuillus ou mixtes.

À propos des... rapaces

La plupart des rapaces sont plus faciles à identifier en vol que quand ils sont perchés. Des exceptions: la *Crécerelle d'Amérique* (de petite taille) et le *Pygargue à tête blanche* (adulte) ne tromperont personne. En revanche, les éperviers et les buses vous donneront du fil à retordre. Selon les experts, il n'existe pas de clé d'identification des rapaces plus sûre que l'observation de leur vol, qui seul met en évidence la forme des ailes et de la queue, ou les taches marquantes de l'oiseau, souvent caractéristiques de l'espèce.

Urubu à tête rouge

Feuillet d'observations: n° 144
Taille: 67-81 cm
Traits marquants: La tête et la partie supérieure du cou sont rouges et dégarnies de plumes. Corps noirâtre. Dessous des ailes noirâtre en deux tons.
Vol impressionnant: il plane sans effort, grâce à des ailes dont l'envergure atteint 1,83 m.
Habitat: Escarpements rocheux, éboulis, îlots, marais, sous-bois de feuillus ou mixtes.

Canard pilet

Feuillet d'observations: n° 110
Taille: 66-76 cm
Traits marquants: Beau canard élancé. Bec gris. Tête et cou bruns. Cou long et fin. Mince ligne blanche le long du cou. Dos vermiculé de noirâtre et de blanc. Poitrine et épaules blanches. Côtés grisâtres. Queue longue et pointue.
Habitat: Étendues d'eau douce peu profondes, tels zones inondées et marécages en milieu ouvert.

Goéland argenté

Feuillet d'observations: n° 283
Taille: 58,5-66 cm
Traits marquants: Plus gros que le *Goéland à bec cerclé*. Manteau gris. Bec jaune et fort. Pattes de couleur chair. Remarquer le point rouge sur le bec.
Habitat: Pointes de sable, marécages côtiers, îlots sur des lacs, îles boisées.

Harfang des neiges

Feuillet d'observations: n° 365
Taille: 53,1-70,7 cm
Traits marquants: Oiseau trapu. Chouette blanche, mouchetée ou barrée. Tête ronde. Œil jaune. Pas d'aigrettes au-dessus des oreilles. Actif le jour.
Habitat: Migration vers le sud en hiver. Lieux mi-ouverts, champs, fermes, milieux urbains.

Canard colvert

Feuillet d'observations: n° 102
Taille: 50-68,5 cm
Traits marquants: Bec jaunâtre. Tête du mâle vert luisant. Il porte un collier blanc. Marron sur la poitrine. Côtés grisâtres. Queue blanchâtre. Pattes orangées. En vol, vous allez remarquer deux barres blanches de chaque côté du miroir bleu.
Habitat: Marais, prés herbacés, étangs, rivières.

Buse pattue

Feuillet d'observations: n° 163
Taille: 48-60 cm
Traits marquants: Grosse buse. Ailes et queue un peu plus longues que celles de la *Buse à queue rousse*. Ventre sombre ou tacheté. Fait du vol sur place. Large bande foncée au bas de la queue blanche.
Plumage très variable.
Habitat: En migration, préfère les terrains découverts, comme les champs et les marais.

Buse à queue rousse

Feuillet d'observations: n° 154
Taille: 48-56 cm
Traits marquants: Partie supérieure brun foncé, du bec jusqu'au cou blanc. Les ailes arrondies sont larges, de même que la queue. Chez l'adulte, la queue est rousse sur le dessus et rose pâle en dessous. Remarquer la bande foncée qui traverse l'abdomen.
Habitat: Grands arbres matures des forêts clairsemées, proximité des clairières, terrains de coupe à blanc.

Canard d'Amérique

(Canard siffleur d'Amérique)

Feuillet d'observations: n° 116
Taille: 46-56 cm
Traits marquants: Bec bleu grisâtre. Porte une couronne blanche. Tache verte allant de l'œil jusqu'à la nuque. Le restant de la tête est crème tacheté de noir. Haut du dos, poitrine et côtés brun rosé. Bande blanche sur l'avant de l'aile.
Habitat: Étangs et lacs peu profonds bordés de prés secs et herbeux, plans d'eau en forêt.

Harle couronné

(Bec-scie couronné)

Feuillet d'observations: n° 140
Taille: 43-58 cm
Traits marquants: Sur la tête, huppe blanche en forme d'éventail. Bec, tête et dos noirâtres. Œil jaune. Poitrine et abdomen blancs. Côtés et flancs brun rougeâtre. Tache blanche sur l'aile.
Habitat: Petits lacs, étangs, marécages et ruisseaux des régions forestières.

Fuligule à tête rouge

(Morillon à tête rouge)

Feuillet d'observations: n° 119
Taille: 43-58 cm
Traits marquants: Bec bleuté à bout noir. Tête rousse. Œil jaune pâle. Poitrine et haut du cou noirs. Dos et côtés grisâtres.
Habitat: Végétation émergente dense en périphérie des étendues d'eau permanentes comme les lacs et les marais d'eau douce.

Garrot à œil d'or

Feuillet d'observations: n° 124
Taille: 45,5-51 cm
Traits marquants: Trapu. Tête ronde, d'apparence verte ou noire, selon la lumière. Œil jaune. Gros point rond blanc entre le bec et l'œil. Poitrine et côtés blancs. Dos noir. Flancs blancs aux plumes bordées de noir. Queue gris foncé.
Habitat: Cavités d'arbres près d'un plan d'eau, étangs, lacs des régions boisées.

Canard souchet

Feuillet d'observations: n° 117
Taille: 43-53 cm
Traits marquants: Le souchet est un autre beau canard coloré, mais pas autant que le branchu. Le bec long en forme de cuillère est un cas unique. Œil jaune. Tête et cou vert foncé, avec des reflets violacés. Poitrine et épaules blanches. Milieu du dos brun ardoisé foncé. Côtés et flancs marron. Tache blanche de chaque côté de la queue.
Habitat: Lacs, étangs, marais peu profonds en milieu ouvert.

Busard Saint-Martin

Feuillet d'observations: n° 170
Taille: 45-51 cm
Traits marquants: Rapace svelte. Le mâle est gris clair. Il a une tache blanche sur le croupion, visible même de loin. Poitrine blanchâtre marquée de points. Ailes longues aux extrémités noirâtres. Longue queue à fines barres noirâtres. Pattes et œil jaunes. Plane et se balance en rase-mottes.
Habitat: Milieux ouverts, marais salés ou d'eau douce, tourbières et prés humides, champs de foin.

© Robert Baronet

Mouette tridactyle

Feuillet d'observations: n° 294
Taille: 40-46 cm
Traits marquants: Plutôt petite. Mouette d'eau salée. Manteau gris. Bec jaune uniforme. Le bout extrême des ailes est d'un noir contrastant, comme s'il avait été trempé dans l'encre.
Habitat: Côtes rocheuses où l'oiseau peut trouver des corniches de falaise pour nicher.

Fuligule à collier

(Morillon à collier)

Feuillet d'observations: n° 120

Taille: 38-46 cm

Traits marquants: Bec ardoisé orné d'un anneau blanc. La tête n'est pas ronde mais triangulaire. Tête et dos noirs au chatoiement pourpre et vert. Cou et dos noirs. Côtés et flancs d'apparence grisâtre. Arc blanc à l'avant de l'aile.

Habitat: Régions où dominent les conifères. Marais, baies, rivières, lacs d'eau douce peu profonds.

Foulque d'Amérique

Feuillet d'observations: n° 215

Taille: 33-40,5 cm

Traits marquants: Bec blanc cerclé d'un anneau noir à l'extrémité. Tête et cou noirs. Corps de couleur ardoise. Grandes pattes verdâtres. Agite la tête à chaque coup de patte quand elle nage.

Habitat: Marais d'eau douce, étangs, terrains marécageux.

Grand Chevalier

Feuillet d'observations: n° 243

Taille: 32-38 cm

Traits marquants: Coloration grise, entremêlée de noir et de blanc. Bec long à peine retroussé. Les ailes sans bandes paraissent sombres. En vol, queue et croupion blanchâtres. Longues pattes jaune vif ou orange. La photo le montre en plumage automnal.

Habitat: En migration, le long du fleuve Saint-Laurent, sur les bords peu profonds. Terrains marécageux, marais d'eau salée, tourbières de la forêt boréale et de la taïga.

Grèbe à bec bigarré

Feuillet d'observations: n° 010
Taille: 30,5-38,1 cm
Traits marquants: Petit grèbe. Bec très robuste nettement incurvé vers le bas. Tache noire sur la gorge et point noir de forme allongée sur le bec. Tête petite. Cou mince. De couleur brune.
Habitat: Lacs peu profonds, étangs, marais.

Pic flamboyant

Feuillet d'observations: n° 408
Taille: 30,5-35 cm
Traits marquants: Pic brun de grande taille. Dessus de la tête et cou gris. Croissant rouge en travers de la nuque. Moustaches noires. Collier noir. Dos brun olivâtre. Poitrine beige, marquée de points noirs. Le croupion blanc est visible en vol. Sautille au sol comme un Merle d'Amérique.
Habitat: Lieux ouverts, forêts clairsemées de feuillus ou de conifères, campagne et banlieue.

Martin-pêcheur d'Amérique

Feuillet d'observations: n° 405
Taille: 28-37,5 cm
Traits marquants: Bleu grisâtre. Grosse tête. Bec droit foncé, effilé et pointu. Point blanc à l'avant des yeux. Collier blanc autour du cou. Parties inférieures blanches. Flancs, côtés et large bande en travers de la poitrine bleus. Pattes courtes. La femelle présente une seconde bande pectorale rousse.
Habitat: Milieux aquatiques: lacs, étangs, ruisseaux, rives du Saint-Laurent.

Mésangeai du Canada

(Geai gris ou Geai du Canada)

Feuillet d'observations: n° 477
Taille: 27,5-30,5 cm
Traits marquants: Très bel oiseau. De couleur grise. Tête blanche avec du noir sur la partie arrière et sur la nuque. Bec court noir. Queue longue. Plane. Peu farouche.
Habitat: Forêts conifériennes. Fréquente les terrains de camping et les camps de bûcherons.

À propos des... moqueurs

Les moqueurs méritent bien leur nom, car ils parviennent sans difficulté à imiter le chant d'autres oiseaux, sans considération de... droits d'auteur! La première fois que vous entendrez un *Moqueur polyglotte,* vous ne pourrez rester insensible à la richesse de son répertoire. Moins exubérants et peut-être moins doués, le *Moqueur chat* et le *Moqueur roux* affichent tout de même un talent vocal exceptionnel.

Moqueur roux

Feuillet d'observations: n° 530
Taille: 26,5-30,5 cm
Traits marquants: Le plus grand des moqueurs. Bec plutôt courbé. Œil jaune foncé. Dessus roux éclatant. Dessous fortement rayé. Longue queue.
Habitat: Haies et buissons situés dans les milieux secs et bien drainés, orée des bois, champs en friche, près des habitations.

Petit Chevalier

Feuillet d'observations: n° 244

Taille: 25-28 cm

Traits marquants: Tout comme le *Pic mineur* qui ressemble à un *Pic chevelu,* le *Petit Chevalier* est un *Grand Chevalier* en réduction. Bec plus court et grêle. Pattes et articulations moins fortes. La photo le montre en plumage automnal.

Habitat: En migration, fréquente les mêmes lieux que le *Grand Chevalier,* ce qui permet de comparer les deux espèces.

Faucon émerillon

Feuillet d'observations: n° 177

Taille: 25-27 cm

Traits marquants: Oiseau trapu. Mince ligne blanche au-dessus de l'œil. Gorge blanche. Dessus gris-bleu rayé de noir, mais la femelle est brune. Poitrine et abdomen chamois rayés de brun foncé. Ailes longues et pointues. Queue grise rayée de larges bandes noires. Bruyant.

Habitat: Forêts discontinues, prairies, proximité des lacs, tourbières.

Moqueur polyglotte

Feuillet d'observations: n° 528

Taille: 22-25,5 cm

Traits marquants: Oiseau élancé, d'un gris légèrement brunâtre, plus pâle en dessous. Ailes et queue ardoise. Taches blanches aux ailes et à la queue, visibles en vol. Longue queue. Le *Moqueur polyglotte* est renommé pour ses prouesses vocales.

Habitat: Milieux ouverts, régions habitées par l'homme, pelouses plantées de haies, de grands arbres et de massifs d'arbustes.

Moqueur chat

Feuillet d'observations: n° 529
Taille: 21-24 cm
Traits marquants: Oiseau élancé, gris ardoise. Calotte noire. Sous-caudales marron. Queue noirâtre et longue. Si vous entendez un miaulement dans un touffe d'arbustes, ne vous méprenez pas; c'est sans doute un *Moqueur chat.*
Habitat: Bordure des forêts, végétation dense, fourrés, ravins, bordure des cours d'eau, des étangs et des routes, taillis de jardins.

À propos des... oiseaux de rivage

Une observation répétée vous rendra attachants ces petits «voyageurs de longue distance» que sont les oiseaux de rivage. Ils sont visibles dès le printemps, le long du fleuve Saint-Laurent, et leur migration vers le sud débute en juillet. La plupart d'entre eux nichent hors du Québec. À l'automne, vous éprouverez certaines difficultés à les identifier. C'est vraiment regrettable, puisque c'est la période de l'année où ils se prêtent à l'observation en plus grand nombre.

Bécasseau à poitrine cendrée

Feuillet d'observations: n° 249
Taille: 22-23 cm
Traits marquants: Taille moyenne. Cou plus long que celui des petits bécasseaux. Bec droit. Bavette bien délimitée sur la poitrine. Gorge et abdomen blancs. Croupion brun foncé. Pattes et bec vert jaunâtre. (Plumage automnal)
Habitat: En migration, marais herbeux et champs inondés.

Tournepierre à collier

Feuillet d'observations: n° 231
Taille: 20-25 cm
Traits marquants: Trapu. Coloration assez particulière de blanc, de noir et de roux. Bec effilé. Cou court. Côtés de la tête et du cou fortement rayés de brun noirâtre. Dos roux. Pattes orange. (Plumage automnal)
Habitat: En migration, rivages rocailleux, grèves sablonneuses et endroits vaseux. Niche dans l'Arctique.

Bruant familier

Feuillet d'observations: n° 753
Taille: 20,3-22,9 cm
Traits marquants: Bec noirâtre. Calotte marron. Gorge blanchâtre. Poitrine gris uniforme. Remarquer la ligne noire en travers de l'œil et le sourcil blanc.
Habitat: Milieux urbains, clairières, bord des forêts.

À propos des... jaseurs

Deux espèces de jaseurs fréquentent les régions du Québec. Le *Jaseur boréal,* comme l'indique son nom, a un faible pour le froid; il arrive de l'Ouest et passe l'hiver chez nous. Le second préfère l'été; c'est le *Jaseur d'Amérique,* naguère appelé *Jaseur des cèdres.*

Jaseur boréal

Feuillet d'observations: n° 564
Taille: 19-22 cm
Traits marquants: Très bel oiseau au plumage lisse. Plus gros que le *Jaseur d'Amérique*. Huppe sur la tête. Masque noir autour des yeux. Ailes marquées de blanc et de jaune. Sous-caudales marron.
Habitat: Forêts boréales, tourbières. En hiver, recherche les buissons à baies et à fruits.

Alouette hausse-col

(Alouette cornue)

Feuillet d'observations: n° 467
Taille: 17,2-20 cm
Traits marquants: Bec brun court, pointu et effilé. Bande pectorale noire en haut de la poitrine. Favoris noirs. Queue presque entièrement noire. Les deux petites aigrettes sur la tête ne sont pas toujours visibles. Arrive dans les champs et le long des routes de campagne en février.
Habitat: Terrains découverts, champs cultivés, prés et pâturages, sols en labour.

Jaseur d'Amérique

(Jaseur des cèdres)

Feuillet d'observations: n° 565
Taille: 16,5-20 cm
Traits marquants: Plus petit que le Jaseur boréal. Brun. Huppé. Plumage lisse. Masque noir en travers du front et des yeux. Abdomen, côtés et flancs jaune pâle. Pas de blanc ni de jaune sur les ailes. Sous-caudales blanches. Bande jaune sur la pointe de la queue.
Habitat: Bois clairsemés, arbres fruitiers, terrains boisés, près des habitations, vergers.

Bruant fauve

Feuillet d'observations: n° 767
Taille: 17-19 cm
Traits marquants: C'est le plus gros de nos bruants. De couleur roussâtre. Traces de gris dans le plumage de la tête et sur le dos. Poitrine fortement rayée de roux. La queue rousse est très voyante. Couleur nuancée des pattes: de rose chair à argile.
Habitat: Forêts conifériennes et mixtes, lisière des forêts.

Pluvier semipalmé

Feuillet d'observations: n° 221
Taille: 16,5-19,5 cm
Traits marquants: Superbe petit pluvier. Dodu. Beaucoup plus petit qu'un *kildir.* Ne porte qu'un seul collier. Le bec court à bout noir devient foncé ou entièrement noir en hiver. Le dos est brun et les parties inférieures blanches. Pattes orange. La photo le montre en plumage automnal.
Habitat: Crêtes de sable ou de gravier, bandes de lichens, plages côtières.

Moucherolle phébi

Feuillet d'observations: n° 446
Taille: 16-18 cm
Traits marquants: Brun noirâtre. Coloration terne. Dessus de la tête légèrement aplati. Partie inférieure du bec foncée. Ventre gris. Pas de bandes alaires. Il crie son nom: [phébi].
Habitat: Typique: sous les ponts (couverts), sous les toits de granges, de garages, sur les poutres de vieux bâtiments ouverts. Forêts mixtes et décidues.

Bécasseau semipalmé

Feuillet d'observations: n° 258
Taille: 14-17 cm
Traits marquants: Le plus abondant de nos bécasseaux. Plus gros que le *Bécasseau minuscule.* Parties supérieures plus grises et plus pâles. Bec droit, court et noir. Pattes noires. (Plumage automnal)
Habitat: Toundra, bord de rivières, lacs, étangs, terrains tourbeux.

Bruant hudsonien

Feuillet d'observations: n° 752
Taille: 14,5-16,1 cm
Traits marquants: Bec noir et jaune. Calotte brun rouge uni. Point pâle sur la poitrine blanc grisâtre. Dos brun roussâtre.
Habitat: Cet oiseau est de passage au printemps et à l'automne à nos postes d'alimentation.

Bruant des prés

Feuillet d'observations: n° 725
Taille: 13,3-16,5 cm
Traits marquants: Sourcils jaunâtres. Raie blanchâtre au milieu de la calotte. Pattes roses. Ne pas confondre avec le *Bruant chanteur,* qui est plus strié.
Habitat: Milieux ouverts où poussent des plantes herbacées et quelques arbustes, champs de foin, pâturages.

Bécasseau minuscule

Feuillet d'observations: n° 252
Taille: 12,5-17 cm
Traits marquants: Le plus petit de nos bécasseaux. Coloration supérieure plutôt roussâtre. Bec droit et mince. Poitrine chamois. Pattes jaune verdâtre. Ne possède pas de doigts palmés. (Plumage printanier)
Habitat: Toundra humide, marais salés dans la forêt boréale. En migration, le long du fleuve Saint-Laurent.

Roselin familier

Feuillet d'observations: n° 701
Taille: 12,5-14 cm
Traits marquants: Bec robuste et incurvé. Sur le front, rayure superciliaire et croupion rouge ou rose clair. Reste de la partie supérieure gris brunâtre, marqué de rayures brun foncé. Poitrine et abdomen blanchâtres et marqués de rayures brun grisâtre. Ailes et queue foncées avec des lisières grisâtres.
Habitat: Milieux urbains: pelouses, les plantations ornementales d'arbres et d'arbustes. Présent aux mangeoires.

À propos des... parulines

En provenance du sud, les parulines s'amènent avec le mois de mai. Ces petits oiseaux de couleurs vives se laissent agréablement dépister par leurs chants vigoureux et bien sonores. Leur grande mobilité met toutefois la patience à l'épreuve de qui entreprend de les observer et... de les photographier.

Paruline flamboyante

Feuillet d'observations: n° 651
Taille: 12-14,5 cm
Traits marquants: Tête, cou, dos, gorge et haut de la poitrine noirs. Ailes et rectrices noires avec bande orange.
Habitat: Feuillus, boisés en régénération, sous-bois de saules denses.

Paruline masquée

Feuillet d'observations: n° 644
Taille: 12-14 cm
Traits marquants: Offre l'aspect d'un petit bandit avec le front et les côtés de la tête noirs. Gorge et poitrine jaunes. Abdomen variant entre blanchâtre et chamois.
Habitat: Milieux humides et buissonneux, milieux ouverts, marais, champs en friche, bordure des routes de campagne.

Paruline à croupion jaune

Feuillet d'observations: n° 619
Taille: 10-15,5 cm
Traits marquants: La première paruline qui arrive au printemps et qui nous quitte à l'automne. Parties supérieures presque entièrement gris bleuâtre et rayées de noir. Tache jaune vif sur la calotte, ainsi qu'à l'avant de l'aile. Tache noire sur la poitrine.
Habitat: Espèce boréale. Forêts de transition conifériennes ou mixtes.

Oiseaux discrets (24)

Voici enfin 24 espèces d'oiseaux beaucoup plus difficiles à apercevoir. Ce n'est pas qu'ils sont invisibles, mais ils ne s'affichent pas volontiers au grand jour. Je les appelle les oiseaux discrets. Certains sont particulièrement habiles à se soustraire à l'œil humain; ils sont experts en camouflage, comme le *Butor d'Amérique,* ou encore ne sont actifs que la nuit, comme les chouettes. D'autres, comme le *Grand Pic,* vous feront courir longtemps avant d'apparaître dans toute leur splendeur. Parfois, c'est un habitat inhospitalier, comme celui du *Râle de Virginie,* qui rend la quête ardue.

Avant de vous mettre en route à la recherche de tels oiseaux, observez-les bien… sur papier. Imprégnez votre mémoire de tous les petits détails qui les caractérisent. Et chaque fois que vous parviendrez à repérer un de ces volatiles discrets, considérez cette réussite comme un exploit.

Butor d'Amérique

Feuillet d'observations: n° 075

Taille: 61-86 cm

Traits marquants: Bec jaunâtre. Gorge blanchâtre. Bande jaunâtre au-dessus de l'œil. Raie noire sur le côté du cou. Parties supérieures brun jaunâtre et parsemées de petits points, de raies longitudinales et transversales. Côtés et abdomen blanc jaunâtre et rayés de brun. Pattes et pieds jaune verdâtre.

Habitat: Marais d'eau douce ou salée, marécages, champs humides, fourrés d'aulnes et de saules.

À propos des... hiboux et des chouettes

Dans la majorité des cas, hiboux et chouettes sont des oiseaux nocturnes. Seuls le *Harfang des neiges* et la *Chouette épervière* pratiquent leur chasse en plein jour. Les hiboux disposent d'aigrettes au-dessus des oreilles, à la différence des chouettes, qui en sont dépourvues.

Chouette lapone

Feuillet d'observations: n° 373
Taille: 61-84 cm
Traits marquants: Le plus gros de nos «hiboux». Tête ronde, sans aigrettes. Œil jaune. Disque facial fortement ligné. Tache noire au menton, bordée de moustaches blanches. Dessous rayé sur la longueur. Queue longue.
Habitat: Milieux ouverts et humides, tourbières à mélèzes, forêts boréales.

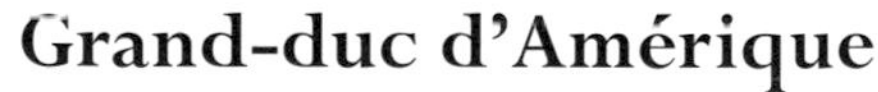

Grand-duc d'Amérique

Feuillet d'observations: n° 364
Taille: 46-58,5 cm
Traits marquants: Grand hibou. Aigrettes saillantes. Œil jaune. Bavette blanche voyante. Dessous fortement strié.
Habitat: Lisière des forêts, parcs urbains, milieux ouverts, rive des cours d'eau, bosquets, forêts caducifoliées ou conifériennes.

Chouette rayée

Feuillet d'observations: n° 371
Taille: 45,5-58 cm
Traits marquants: De taille plutôt forte. Coloration gris brun et crème. Bec jaune. Grosse tête ronde sans aigrettes. Œil brun. La poitrine est striée sur la largeur, et le ventre, sur la longueur.
Habitat: Boisés à maturité, forêts de feuillus et mixtes, proximité des lacs, marécages, marais.

Grand Pic

Feuillet d'observations: n° 412
Taille: 40,5-49,5 cm
Traits marquants: Gros comme une *Corneille d'Amérique*. Possède une huppe d'un rouge très voyant. De couleur noire avec des rayures blanches sur les côtés de la tête et du cou. Le confondre avec les autres pics est impossible. Oiseau farouche.
Habitat: Forêts matures mixtes, décidues ou conifériennes.

Chouette épervière

Feuillet d'observations: n° 366
Taille: 36,5-43 cm
Traits marquants: Silhouette élancée. Pas d'aigrettes. Face ornée d'un disque blanc grisâtre avec de larges favoris noirs encadrant la face pâle. Œil et bec jaunes. Dessous légèrement barré. Longue queue arrondie. Non farouche.
Habitat: Forêts conifériennes claires, boisés mixtes bordant les tourbières.

Perdrix grise

Feuillet d'observations: n° 201
Taille: 30,5-33 cm
Traits marquants: Oiseau rondelet. Taille moyenne. Tête orangée. Face rouille. Joues et gorge brun pâle. Poitrine grisâtre. Tache marron sur la poitrine. Rayures des flancs marron. Queue modérément courte.
Habitat: Milieux ouverts, champs agricoles, parcs urbains.

Bécassine des marais

Feuillet d'observations: n° 234
Taille: 26-30 cm
Traits marquants: Oiseau trapu. Bec droit, très long. Tête rayée. Raies chamois sur le dos. Poitrine brun chamois, marquée de brun foncé réparti de diverses façons. Abdomen blanc. Côtés et flancs rayés brun foncé. Queue courte.
Habitat: Tourbières, marais d'eau douce, champs, pâturages humides ou inondés.

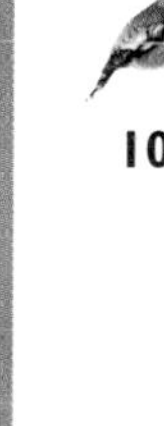

Épervier brun

Feuillet d'observations: n° 152
Taille: 25-30 cm
Traits marquants: Corps svelte. Partie supérieure bleu foncé. Poitrine barrée de blanc et de roux. Ailes courtes et arrondies. Queue longue et carrée. En vol, il exécute plusieurs battements rapides suivis d'un vol plané.
Habitat: Forêts mixtes ou conifériennes, boisés denses bordés de champs broussailleux. Se tient près des postes d'alimentation.

Pluvier bronzé
(Pluvier doré d'Amérique)

Feuillet d'observations: n° 227
Taille: 24-28 cm
Traits marquants: Dos bronzé. Au printemps, on constate aisément qu'il n'y a pas de noir sur la face et s ur les parties inférieures du corps, ni de ligne superciliaire blanche. La photo le montre en plumage d'automne.
Habitat: En migration, dans les chaumes et les champs à herbes courtes, les pâturages et les labours, sur les grèves et les plages.

Pic à dos noir

Feuillet d'observations: n° 429
Taille: 23-25,5 cm
Traits marquants: Grosseur d'un *Pic chevelu.* Calotte jaune chez le mâle. Dos tout noir. Parties inférieures blanches. Flancs barrés. Possède trois doigts. Peu farouche.
Habitat: Forêts de conifères.

Râle de Virginie

Feuillet d'observations: n° 209
Taille: 23-25,5 cm
Traits marquants: Bel oiseau, mais discret. Bec rougeâtre, effilé et long. Joues grises. Poitrine teintée cannelle. Barres noires sur les flancs.
Habitat: Marais d'eau douce où poussent quenouilles, carex et joncs, bord marécageux des lacs et des rivières, fossés et prairies humides.

Phalarope de Wilson

Feuillet d'observations: n° 271
Taille: 21-25,5 cm
Traits marquants: La femelle est plus grosse et plus colorée que le mâle. Bec très fin en forme d'alène. Bandeau noir sur la tête. Dos marron. Tourne sur l'eau en petits cercles.
Habitat: Milieux humides ouverts, étangs, marais à herbes courtes et prairies humides.

Engoulevent d'Amérique

Feuillet d'observations: n° 382
Taille: 21-25,5 cm
Traits marquants: Oiseau crépusculaire. Bec minuscule. Grands yeux. Gorge blanche. Parties supérieures noirâtres marquées de marbrures et de points irréguliers gris pâle. Bandes prononcées sur l'abdomen et les côtés. Tache alaire blanche visible en vol. Queue ample et fourchue.
Habitat: Milieux ouverts, clairières, milieux urbains.

Grive fauve

Feuillet d'observations: n° 545
Taille: 16,5-19,5 cm
Traits marquants: Dessus de l'oiseau de couleur fauve uniforme. Pas d'anneau oculaire net. Poitrine moins tachetée que chez les autres grives. Côtés et flancs lavés de brun grisâtre pâle. Le reste des parties inférieures est blanc.
Habitat: Forêts décidues, sous-bois bien denses, milieux humides, forêts mixtes.

Pioui de l'est

Feuillet d'observations: n° 460
Taille: 15-17 cm
Traits marquants: Couleur olive verdâtre foncé. Bec noir brunâtre en dessus, jaunâtre en dessous. Pas de cercle autour de l'œil. Gorge blanchâtre. Poitrine et côtés olive grisâtre. Abdomen blanc jaunâtre clair. Laisse échapper des sifflements forts et plaintifs rappelant son nom [pioui]. Deux barres alaires blanches.
Habitat: Trouées et bordure des futaies feuillues ou mixtes.

Viréo aux yeux rouges

Feuillet d'observations: n° 582
Taille: 13,5-16,5 cm
Traits marquants: Sommet de la tête gris bordé d'une mince ligne foncée. Œil rouge. Large rayure blanc grisâtre au-dessus des yeux. Parties supérieures vert olive terne. Parties inférieures blanches. Flancs teintés d'olive. Pas de bandes alaires blanches. Chante de longs moments.
Habitat: Forêts denses, mixtes ou de feuillus.

Moucherolle tchébec

Feuillet d'observations: n° 452
Taille: 12,5-14 cm
Traits marquants: Couleur olive verdâtre. Anneau oculaire. Deux barres alaires blanches. Difficile à identifier. Heureusement, le *tchébec* crie son nom [tchébek].
Habitat: Forêts de feuillus et mixtes. Cet habitat aide à ne pas confondre cette espèce avec les autres moucherolles.

Paruline bleue

(Paruline bleue à gorge noire)

Feuillet d'observations: n° 618
Taille: 12-14 cm
Traits marquants: Gorge et flancs noirs. Dessus gris-bleu. Poitrine blanche.
Habitat: Forêts de feuillus ou mixtes, sous-bois.

Paruline à gorge orangée

Feuillet d'observations: n° 627
Taille: 11,4-14 cm
Traits marquants: Très belle paruline à la poitrine orange vif. Petite tache jaune sur la tête. Côté du cou et gorge orangés. Parties supérieures presque entièrement noires.
Habitat: Forêts conifériennes et mixtes. Se tient dans la cime des arbres.

Paruline jaune

Feuillet d'observations: n° 615
Taille: 12-13,3 cm
Traits marquants: Poitrine jaune. Côtés et flancs rayés de marron. Taches jaunes sur la queue.
Habitats: Campagne et banlieue, le long des fossés, arbustaies en bordure des cours d'eau, marais, tourbières, parcs urbains.

Paruline à gorge noire

(Paruline verte à gorge noire)

Feuillet d'observations: n° 623

Taille: 11-13,4 cm

Traits marquants: Côtés de la tête et du cou jaunes. Gorge et haut de la poitrine noirs. Parties supérieures vert olive jaunâtre. Barres alaires blanches.

Habitat: Forêts boréales et mixtes.

Troglodyte des marais

Feuillet d'observations: n° 524

Taille: 10-13,3 cm

Traits marquants: Bec fin légèrement recourbé. Dessus de la tête brun noirâtre. Sourcil blanc. Tache brun noirâtre en forme de triangle et rayures blanches sur le dos. Côtés et flancs brun chamois. La queue est souvent dressée. Petit oiseau au chant exubérant et vigoureux.

Habitat: Marais où poussent des quenouilles et d'autres plantes aquatiques de grande taille.

Roitelet à couronne rubis

Feuillet d'observations: n° 558

Taille: 9,5-11,3 cm

Traits marquants: Oiseau minuscule et actif. La calotte rubis n'est pas toujours visible. Anneau blanc autour de l'œil. Dessus gris olive. Barres alaires nettes. Queue courte.

Habitat: Bois mixtes, forêts de feuillus, orée des bois, pessières clairsemées.

COUP D'ŒIL SUR… LA PARULINE DU CANADA

Pour un photographe de la nature, certains oiseaux sont faciles à croquer, comme l'*Oie des neiges* et la *Bernache du Canada.* En revanche, d'autres se montrent de bien mauvais collaborateurs; les parulines appartiennent à cette catégorie. Minuscules, elles ont la bougeotte, et, par un souci évident de protection, elles adorent les sous-bois. Et quand elles font leurs nids dans la cime des arbres, le photographe se trouve confronté à un défi quasi insurmontable. La période idéale pour faire de bonnes photos de parulines est donc relativement courte; il faut que ces oiseaux aient fait leur apparition avant que les feuilles aient poussé.

Cette année-là, nous étions en mai et les parulines étaient arrivées. Les conditions étaient malheureusement défavorables: la chaleur avait accéléré l'apparition des feuilles… et des brûlots. Néanmoins, une *Paruline du Canada* chantait en bordure d'une forêt mixte et m'invitait malicieusement à venir tenter ma chance. La tentation était d'autant plus forte que ma collection ne contenait encore aucune diapo de cet oiseau. J'y allai donc…

Je m'engouffre dans la sapinière. L'enfer! En moins de 20 secondes, je suis assailli et littéralement dévoré par les brûlots, de la tête aux pieds. Mon œil essaie pourtant de dépister la paruline qui, sans égard pour mon tourment, ramage toujours. Je n'en peux plus! Je capitule. Me voilà sorti du bois!

Je m'entête pourtant. Sitôt les brûlures apaisées, je reprends à deux mains courage et appareil-photo, et je retourne chez mes bourreaux. À cinq reprises je ferai ce manège, cet aller-retour éprouvant. Résultat: deux clichés réussis! Une véritable épreuve pour quelques épreuves!

À mon retour à la maison, la mine consternée de mon épouse me confirma que j'avais payé chèrement le prix de ma témérité. J'étais dans un état lamentable: la tête, le front, les poignets, les chevilles… le moindre petit bout de peau à découvert était une plaie vive. C'est la paruline qui devait rire dans ses plumes!

CHAPITRE 4
L'ÉQUIPEMENT

L'observation des oiseaux requiert très peu d'équipement. Il peut suffire de jumelles et d'un bon guide d'identification. Pour l'observation à longue distance, il faut avoir recours à une lunette d'approche sur pied. Et si la photographie d'oiseaux vous tente, il faudra vous munir d'un appareil-photo ou d'un caméscope (caméra vidéo).

Les jumelles

Que vous observiez les oiseaux à votre poste d'alimentation ou dans leur habitat naturel, les jumelles demeurent un instrument indispensable. La plupart des oiseaux sont petits, ne l'oubliez pas, et se trouvent presque toujours à une certaine distance. Or, comment observer un petit volatile à 100 mètres ou plus? Avec des jumelles bien entendu, mais lesquelles?

Les jumelles doivent être adaptées aux besoins de l'observateur d'oiseaux. Il est préférable qu'elles soient compactes, légères et lumineuses, mais surtout robustes, car les conditions d'observation sur le terrain risquent souvent d'être difficiles. La pluie, le froid, le sable ou l'humidité sont autant d'éléments qui peuvent endommager un instrument fragile ou peu résistant.

On trouve sur le marché deux catégories majeures de jumelles, selon le type de prismes utilisés: Porro (standard) ou en toit. Les jumelles à prisme en toit sont plus compactes et plus légères que les premières, mais elles sont un peu plus chères.

Jaseur boréal

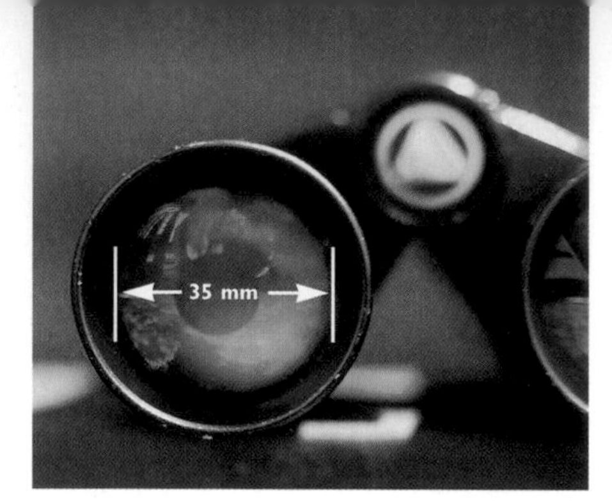

Pupille d'entrée de 35 mm

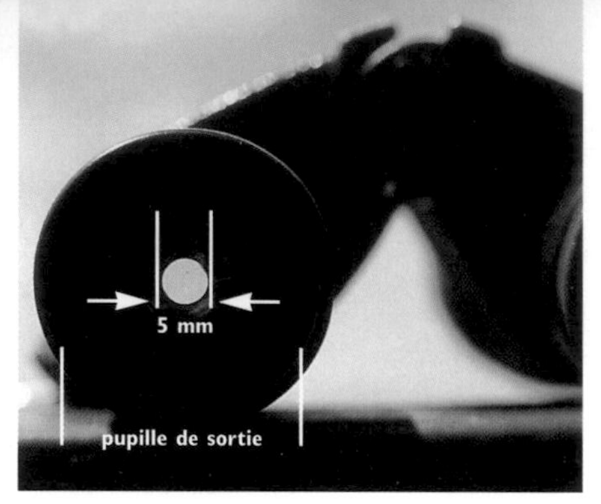

Pupille de sortie avec colonne de lumière de 5 mm

Voyons maintenant les principales caractéristiques d'une jumelle, en examinant par exemple la fiche technique d'un modèle 7 x 35:

1. Grossissement:	7x
2. Diamètre de l'objectif:	35 mm
3. Champ angulaire de vision:	8,6 degrés
4. Champ linéaire perçu à 1000 m:	150 m
5. Pupille de sortie:	5 mm
6. Luminosité:	15,6
7. Poids:	690 g
8. Longueur:	133 mm
9. Largeur:	173 mm
10. Type:	Porro
11. Mise au point:	centrale

Que signifient ces indices? Ils fournissent de précieux renseignements sur l'instrument, qui pourront vous être fort utiles en cours d'observation. La connaissance de ces petits détails peut faire la différence entre une séance d'observation réussie et une expérience ratée ou insatisfaisante.

L'indice de *grossissement* indique la puissance de la jumelle. Dans notre exemple (7x), l'objet fixé vous semblera sept fois plus proche que si vous le regardiez à l'œil nu.

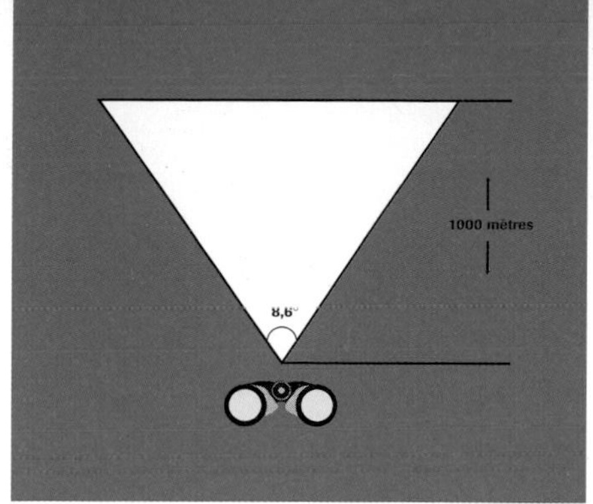

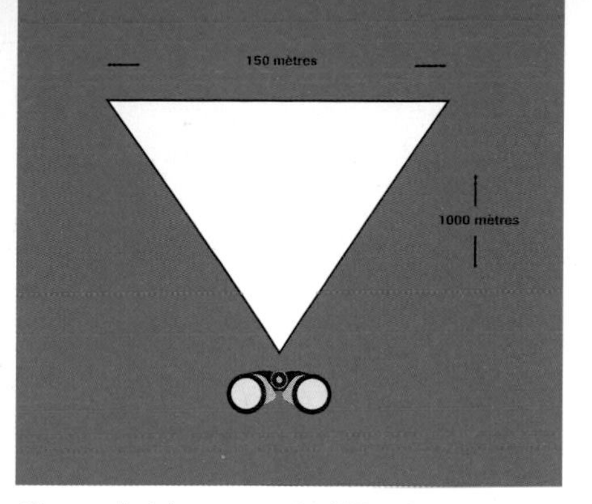

Champ angulaire de vision de 8,6°

Champ linéaire perçu de 150 mètres

Le second indice (35 mm) indique le *diamètre* (en millimètres) de l'objectif principal, que l'on appelle aussi *pupille d'entrée.*

Le *champ angulaire de vision* (ou angle de vision) précise la largeur de l'espace couverte quand vous regardez un objet situé à 1000 mètres. Cette largeur correspond au degré d'ouverture du sommet d'un triangle qui se confond avec l'œil de l'observateur. Dans notre exemple, l'angle de 8,6 degrés signifie que le champ de vision est fort étroit; c'est pourquoi on peut chercher très longtemps un oiseau avec des jumelles… sans jamais le trouver!

L'indice suivant, c'est-à-dire le *champ linéaire perçu,* porte sur le même phénomène. Mais, cette fois, c'est la largeur couverte à 1000 mètres qui est indiquée, en l'occurrence 150 mètres. Cette dimension varie en fonction de la distance séparant l'objet fixé de l'observateur: elle sera moindre en deçà de 1000 mètres et plus grande au delà.

Saisissez votre instrument et portez-le à environ 25 cm (10 po) de vous. En examinant la *pupille de sortie* (le petit objectif), vous apercevrez une colonne de lumière passant à travers la jumelle. Le diamètre de cette colonne (5 mm dans notre exemple) est le résultat de la division du diamètre de la pupille d'entrée (35) par

Jumelles avec prisme «Porro»

Jumelles avec prisme en toit

l'indice de grossissement (7×). Ce quotient correspond également à la quantité de lumière captée par l'œil de l'observateur. Retenez que plus le faisceau est large, plus vous aurez la possibilité d'observer des objets en luminosité réduite. C'est un atout pour l'observation à la brunante ou dans un sous-bois.

L'indice suivant indique précisément la *luminosité*, c'est-à-dire la capacité plus ou moins grande de percevoir un objet faiblement éclairé. Plus cette valeur est élevée, plus vous serez à même, en quelque sorte, de voir dans le noir!

Le *poids* de l'instrument (donné en grammes) doit être pris en considération au moment de l'achat. Des jumelles trop lourdes peuvent occasionner à la longue de la fatigue chez l'observateur.

La *longueur* et la *largeur* des jumelles sont données en millimètres. Il s'agit dans les deux cas de la dimension maximale, soit, dans notre exemple, 133 mm et 173 mm.

L'instrument de notre exemple fonctionne avec des prismes de type *Porro,* du nom de leur inventeur, Ignazio Porro, qui fabriqua les premières jumelles en 1850.

Réglage de la dioptrie

Le dernier indice de notre modèle, c'est-à-dire la *mise au point,* précise que celle-ci s'effectue à l'aide d'une bague mobile située au centre de l'instrument.

J'ajoute que toutes les jumelles de bonne qualité possèdent des lentilles antireflet. Cette particularité permet d'améliorer la vision tout en réduisant la fatigue oculaire.

Je recommande par ailleurs des jumelles étanches et à gaine de caoutchouc, histoire de prévenir les problèmes de condensation et de parer aux chocs éventuels.

Réglage de la dioptrie

Vous voilà en possession de jumelles. Vous vous empressez de les porter à vos yeux. Vous avez l'impression qu'une image est nette, l'autre floue. Ce n'est pas un défaut de l'instrument. Vous devez simplement régler la dioptrie et c'est très facile.

Fermez l'œil droit, puis fixez avec le gauche un objet assez éloigné; à travers la jumelle, évidemment! Faites alors la mise au point sur cette cible. Fermez ensuite l'œil gauche et fixez de l'œil droit le même objet. Si l'image est floue, vous corrigerez cette imprécision en tournant dans le sens voulu la bague de droite située près de votre œil, jusqu'à ce que l'image apparaisse nettement. Ce réglage est réussi lorsque les images de chaque lunette se fondent en une seule, claire et précise.

Photo 1

Photo 2

Nettoyage des objectifs

N'essuyez jamais les lentilles avec un linge ou un mouchoir de papier. Procurez-vous plutôt, dans les boutiques de photos, une canette d'air sous pression et aspergez-en quelques jets pour nettoyer le surplus de saleté (Photo 1). Ensuite, poursuivez le nettoyage de la surface de l'objectif à l'aide d'une poire (petit soufflet à brosse de poils très doux) (Photo 2). Surtout, pas de savon! Utilisez du nettoyeur et du papier à lentille. Après avoir déposé une goutte de liquide nettoyant au centre de l'objectif (Photo 3), frottez délicatement la lentille dans

Photo 3

Photo 4

Lunette d'approche fixée sur une tête fluide

un mouvement de spirale allant du milieu vers le bord (Photo 4). Asséchez la surface à l'aide d'un autre papier à lentille.

Comment observer un oiseau avec des jumelles

Vous entendez ce que vous croyez être un oiseau dans le feuillage et vous êtes porté à saisir immédiatement vos jumelles. Erreur! En raison de l'exiguïté du champ de vision de l'instrument, il est peu probable que vous parveniez à détecter l'oiseau. Rappelez-vous: l'appareil que vous avez entre les mains ne saurait augmenter la puissance de votre œil sans diminuer du même coup l'étendue de votre champ de vision.

Essayez plutôt de repérer l'oiseau visuellement. Quand vous l'aurez trouvé, gardez les yeux bien fixés dans sa direction et interposez vos jumelles entre lui et votre regard. Le voilà dans votre champ de vision! Et il ne vous reste plus qu'à faire la mise au point.

La lunette d'approche

La lunette d'approche est plus puissante qu'une jumelle. Elle est munie notamment d'un oculaire interchangeable, ce qui permet de varier cette puissance à volonté. Les caractéristiques de l'appareil sont les mêmes que celles des jumelles.

Trépied *Manfrotto*

Tête fluide avec sabot

Il existe deux types d'oculaires, désignés selon leur mode de puissance: fixe ou variable (zoom). Je vous recommande d'acheter une lunette télescopique de bonne qualité et de marque réputée, par exemple Bausch & Lomb, Nikon, Kowa ou Optolyth.

La surface extérieure de l'objectif se nettoie de la même façon que pour les jumelles. Vous réaliserez rapidement l'avantage de fixer un sabot à votre lunette. Grâce à ce petit outil vissé en permanence à la lunette, celle-ci et le trépied s'emboîteront en un tournemain. En plus d'assurer à l'ensemble une meilleure stabilité (sans laquelle il serait difficile de bien observer), ce mécanisme de fixation rapide vous épargnera des moments d'impatience absolument inutiles. Il permet en outre de substituer rapidement un appareil-photo ou une caméra vidéo à la lunette.

Votre lunette sera appropriée si sa puissance varie entre 20 et 40x. Au-delà de 40x, vous risquez d'obtenir des images floues, en plus d'augmenter votre incapacité à distinguer des objets en luminosité réduite, en raison de l'exiguïté de la pupille de sortie.

Le trépied

Rien n'est plus frustrant qu'une bonne lunette juchée sur un mauvais trépied. Votre reconnaîtrez ce dernier aux vibrations désagréables qu'il transmettra à l'appareil

Appareil-photo avec objectif interchangeable et objectif fixe

et qui vous rendront l'observation difficile, sinon impossible, surtout à haute puissance. Même si la publicité proclame le contraire, sachez qu'il n'existe pas de trépied alliant légèreté et stabilité. Un bon trépied est lourd. Je fais référence ici à un poids d'environ trois kilos, qui comprend la tête à laquelle s'agrippe l'appareil. En ce qui concerne cette pièce, je vous recommande, pour la douceur du mécanisme, une tête fluide. Dernier détail, le dispositif de réglage de la hauteur des pattes: si vous pensez que les bagues vissées deviendront une corvée et mettront vos nerfs à l'épreuve, optez pour un mécanisme à levier.

L'APPAREIL-PHOTO

L'observation des oiseaux est devenue chez vous une véritable passion. Vous décidez donc de vous lancer dans la photographie d'oiseaux. Un tout premier conseil: avant d'acheter quoi que ce soit, engagez-vous à vous armer de patience. Certes, si vous êtes déjà capable de passer de longs moments à chercher des oiseaux et à les observer, vous avez déjà des aptitudes. Mais si vous pensez qu'il vous suffira de repérer un oiseau et de faire un simple clic pour obtenir une photo passable, vous feriez peut-être mieux de vous contenter d'observer et d'emmagasiner vos souvenirs... dans votre tête.

Bien sûr, si vous vous rendez à Baie-du-Febvre ou à Cap-Tourmente, 100 000 oies se prêteront volontiers aux séances de pose. Vous pourrez réaliser à loisir des clichés intéressants. Mais parvenir à coucher sur pellicule une mésange, un roitelet ou une paruline, c'est une autre histoire.

En général, les oiseaux n'occupent pas beaucoup d'espace et manifestent une certaine nervosité. Par conséquent, ils ont la bougeotte! N'escomptez pas des résultats satisfaisants si vous ne disposez que d'un appareil 35 mm à objectif fixe. Le photographe d'oiseaux doit s'équiper d'un 35 mm à objectif interchangeable.

Vous réaliserez d'intéressantes photos au moyen d'un objectif de 300 mm. C'est comme si l'appareil se trouvait branché directement sur des jumelles d'une puissance de rapprochement de 6X, donc légèrement plus faibles que celles que nous avons analysées plus haut. Malgré ses dimensions impressionnantes, l'objectif de 300 mm ne représente en fait qu'un outil de départ, utile certes, mais insuffisant. C'est cependant la qualité de vos objectifs qui déterminera la qualité de vos photos.

En ce qui concerne le choix de la pellicule, une pellicule diapos 100 ASA/ISO constitue le support idéal. Les diapositives seront toujours inégalables: pour le classement, la durabilité, la conservation, l'éclat des couleurs et, naturellement, le plaisir de la projection sur écran. Toutes les illustrations d'oiseaux contenues dans ce guide proviennent de diapositives.

N'oubliez pas non plus que la photographie d'oiseaux est un loisir de plein air, donc sujet à des conditions climatiques très variables, parfois extrêmes. Un appareil qui manque de robustesse ne tiendra pas le coup longtemps.

Caméscope avec objectif fixe

Caméscope Hi 8 avec objectif interchangeable

En somme, l'appareil-photo qui convient coûte relativement cher. Qui veut épargner risque de perdre son temps et son investissement... en plus de rater ses photos!

Voici, pour terminer, quelques brefs conseils techniques sur la manipulation et les réglages. Il est préférable de s'en remettre au dispositif automatique pour la durée d'exposition et d'effectuer manuellement la mise au point. Ou de tout faire en mode manuel. L'important est d'ignorer la mise au point automatique, en raison d'un délai de fonctionnement trop long. À moins d'être muni d'un appareil vraiment haut de gamme.

Le caméscope

La photographie d'oiseaux est un grand défi. Mon expérience me fait même ajouter qu'elle n'est pas à la portée de n'importe qui. Un peu à cause du coût du matériel, mais aussi et surtout à cause de la difficulté même de faire de bonnes images dans des conditions souvent difficiles. Oiseaux trop nerveux, de taille trop réduite, habitats difficiles d'accès, mœurs nocturnes... les obstacles sont nombreux. Mon intention n'est pas de vous décourager, mais de vous inviter plutôt, si vous tenez vraiment à faire des images d'oiseaux intéressantes, à vous lancer dans la vidéo. Les prix sont abordables et les résultats peuvent être fort honorables. De plus, vos images seront animées et enrichies de son, ce qui, dans le cas de certains oiseaux, ne pourra que rehausser la valeur de vos souvenirs.

Mais rien n'est parfait. En termes de qualité d'image, la diapositive reste imbattable. Et vous constaterez que suivre un oiseau en forêt ou dans un sous-bois à travers un viseur vidéo tient parfois de l'exploit. En fait, le viseur vidéo n'est qu'un écran de télévision, qui ne bénéficie pas de la transparence de l'objectif d'un 35 mm. Par contre, l'appareil vidéo comporte un avantage sur ce dernier: le rapport de rapprochement fourni par le système optique.

Prenons un appareil-photo 35 mm disposant d'un objectif de 50 mm de longueur focale. Par longueur focale, on entend la distance qu'il faut aux rayons lumineux, à l'intérieur d'un objectif, pour atteindre le point de convergence et, ainsi, former l'image. Si les deux dimensions (celle de l'objectif et celle de la longueur focale) sont identiques, soit 50 mm, le rapport de rapprochement sera de 50/50, c'est-à-dire qu'il n'y aura pas de grossissement ou, si vous préférez, l'image perçue sera de grandeur réelle (1×). Mais si on utilise sur cet appareil un objectif de 200 mm, le rapport de grossissement sera différent; l'image deviendra quatre fois plus grande qu'elle ne l'est en réalité (200/50 = 4×).

Si on compare la largeur d'une pellicule d'appareil-photo (35 mm) avec celle du dispositif à transfert de charge (CCD) de la vidéo (12,5 mm), on constate une différence. Je vous accorde que celle-ci est peut-être plus importante pour la science physique que pour vous, mais elle a pour effet de transformer votre objectif de 200 mm en un super téléobjectif de 1080 mm (soit une amplification de 5,4), du seul fait que vous l'apposez maintenant à une vidéo. Si vous faites le rapport de grossissement (1080/50), vous comprendrez pourquoi je tenais à donner ces explications. Vous disposez à présent d'un appareil permettant un rapprochement, non plus de 4×, mais bien de 21,6×!

Pour un amateur, faire l'achat d'un caméscope, c'est choisir entre deux formats: le 8 mm et le Hi 8 (à image plus nette et à prix supérieur). Sur le plan de la robustesse, un caméscope n'a pas la résistance d'un boîtier 35 mm. Plus fragile et plus sensible à l'humidité, il réagit mal au froid et au sable. Affligé d'une petite constitution, il s'endommage facilement.

Un dernier conseil. Sur le terrain, il est préférable de travailler en mode manuel, car il suffit de bien peu pour compromettre l'efficacité du mode automatique. La mise au point peut être perturbée par quelques branches, par plusieurs sujets dans le viseur à des distances différentes, par des sujets qui se déplacent rapidement, par des sujets sombres et par des sujets présentant peu ou pas de contrastes.

COUP D'ŒIL SUR…
LE CORMORAN À AIGRETTES

Cette photo a été prise à la Pointe de Yamachiche sur le lac Saint-Pierre. En arrivant sur les lieux, j'ai balayé le secteur avec mes jumelles et, au loin, j'ai aperçu un gros oiseau noir sur un filet de pêche. Mais la hauteur de mes bottes (25 cm) limitait passablement mes ambitions… aquatiques. M'aventurer dans l'eau? Jusqu'où?

Quoi qu'il en soit, je décide de m'approcher du cormoran, qui se trouve sûrement à 200 mètres. J'entreprends la traversée... Très tôt l'onde menace de couler mes deux petits vaisseaux de caoutchouc. Par chance, nous sommes en juillet et l'eau est tiède. Mais la vase se met de la partie, aspirant mes bottes à chaque pas, ce qui rend ma progression de plus en plus pénible.

Par bonheur, le vent travaille pour moi, dissuadant le cormoran de tenter son envol. Je présume aussi que ses ailes sont souillées. J'en profite pour m'approcher davantage. Et me voici à 5 mètres de ma cible! Aux premières loges, quoi! C'est inespéré. Mon index fait son office… et voilà!

Ah oui! J'oubliais de mentionner que l'oiseau stationnait à l'endroit précis où le village déverse ses eaux malodorantes. Je sais maintenant que les photographes d'oiseaux déterminés parviennent aisément à faire fi des désagréments olfactifs.

CHAPITRE 5

LES MEILLEURS SITES D'OBSERVATION AU QUÉBEC

Le Québec couvre un vaste territoire qui comprend plusieurs zones climatiques: du sud au nord se succèdent la forêt de feuillus, la forêt mixte, la forêt boréale et la toundra. Le fleuve Saint-Laurent et la mer créent par ailleurs des conditions d'habitat particulières. Le relief et les milieux sont variés: plaines, lacs, rivières, tourbières, marais et montagnes abondent. Il n'est donc pas étonnant que la Belle Province présente aux ornithologues amateurs des sites exceptionnels pour l'observation des oiseaux.

Je vous présente dans ce chapitre quelques-uns de ces royaumes. Ce sont des lieux que je connais bien et que je vous invite à fréquenter. Vous pourrez ainsi obtenir un portrait assez juste de l'avifaune québécoise.

Principaux sites d'observation par région

Abitibi
Parc d'Aiguebelle

Bas-Saint-Laurent
Île aux Basques • Marais de Cacouna • Marais de Pointe-au-Père • Marais de Rimouski • Traverse de Trois-Pistoles

Bécasseau à oitrine cendrée

Centre du Québec
Baie-du-Febvre • Île du Moine • Île Dupas • Parc national de la Mauricie • Pointe Yamachiche • Port Saint-François • Saint-Barthélémy

Côte-Nord
Barre de Portneuf • Minganie

Estrie/Bois-Francs
Lac Boivin • Marais de Katevale • Réservoir Beaudet

Gaspésie
Barachois de Malbaie • Île Bonaventure • Monts Albert et Jacques-Cartier • Parc national Forillon

Îles de la Madeleine
(ensemble de l'archipel)

Montréal et ses environs
Barrage de Beauharnois • Huntingdon • Île aux Fermiers • Longueuil (promenade René-Lévesque) • Parc Summit

Outaouais
Réserve faunique de Plaisance

Québec et ses environs
Île aux Coudres • Réserve nationale de la faune de Cap-Tourmente • Saint-Vallier

Saguenay–Lac-Saint-Jean
Battures de Saint-Fulgence • Petit marais de Saint-Gédéon • Tadoussac

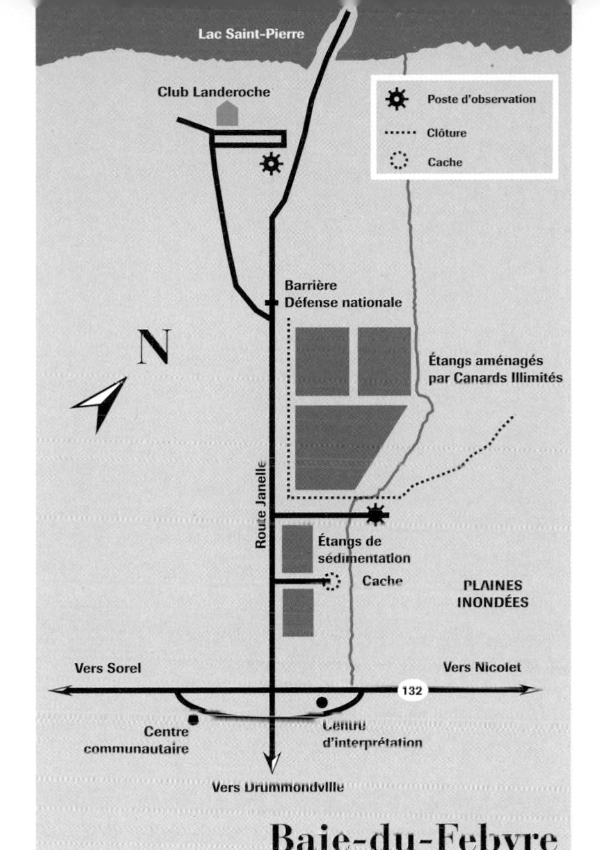

Baie-du-Febvre

Baie-du-Febvre est située sur la rive sud du lac Saint-Pierre, entre Nicolet et Sorel. Il y a quelques années, un ornithologue y avait recensé un nombre restreint d'*Oies des neiges*, de bernaches et de canards. À l'initiative conjointe de Canards illimités et du groupe Sarcel, un site d'observation de la faune ailée y a été aménagé. Aujourd'hui, les touristes qui parcourent la route 132 aperçoivent un curieux ensemble formé de digues, de bassins de sédimentation, de postes et de tours d'observation. Résultat de ce chantier écologique, environ 375 000 *Oies des neiges,* 25 000 *Bernaches du Canada* et 10 000 canards plongeurs et barboteurs envahissent les lieux du mois de mars à la mi-mai.

Centre d'interprétation de Baie-du-Febvre et cache d'observation près des étangs de sédimentation

Oies et bernaches profitent de cette halte pour refaire le plein d'énergie avant de poursuivre leur route vers le Grand Nord. Le spectacle devient parfois ahurissant. Imaginez 50 000 ou 100 000 oies qui s'envolent simultanément devant vous dans une sorte de ballet gigantesque. C'est à couper le souffle. En avril, le Festival des *Oies blanches* attire plus de 50 000 visiteurs.

Baie-du-Febvre est l'endroit idéal pour s'initier aux canards barboteurs. Vous les trouverez partout: dans les plaines inondables, dans les fossés, mais surtout dans les bassins de sédimentation; principalement dans le deuxième

Oies des neiges

Bernaches du Canada

Canard noir

bassin, le long de la route Janelle qui mène au fleuve. Surprise amusante, vous assisterez à leur parade nuptiale. Vous entendrez le sifflet du *Canard d'Amérique* et le «pop-pop-pop» du *Canard pilet*. Vous verrez le *Canard souchet* hocher la tête et le *Harle couronné* déployer sa crête.

La fête est loin d'être finie après le départ des oies et des bernaches. Beaucoup d'autres espèces d'oiseaux aquatiques font le bonheur des ornithologues, entre autres la *Foulque d'Amérique*, le *Grèbe à bec bigarré* et la *Gallinule poule-d'eau*. Vous pourrez peut-être même entendre le *Râle de Virginie*, oiseau difficile à observer s'il en est un.

Canards pilet

Sarcelle à ailes bleues

Canards souchet

Fuligule à tête rouge

Le début de la saison est propice à l'observation du *Bruant des neiges* et du *Harfang des neiges* qui, à cette époque, sont sur le point de migrer vers le Nord. Avril-mai voit arriver des centaines d'*Hirondelles bicolores*. Les *Guifettes noires* sont également de la partie. Si la chance vous sourit, vous aurez le plaisir d'identifier la *Phalarope de Wilson* et l'*Érismature rousse*. Sans compter quelques autres oiseaux de rivage, voyageurs de longue distance.

À la mi-juin, les canards adultes muent et les bassins, peuplés de canetons, regorgent d'activités. À propos, avez-vous déjà vu des petits grèbes juchés sur le dos de

Canards d'Amérique

Râle de Virginie

Foulque d'Amérique

leurs parents? À la même époque, vous pourrez probablement apercevoir le *Bruant des marais* et, surtout, entendre le *Troglodyte des marais*, qui a d'excellents poumons, croyez-moi. En juillet, les canetons ont grossi. Mais attention! Quand l'été bat son plein, il fait très chaud dans le secteur. En septembre commence la saison de la chasse et les oiseaux se cachent dans les refuges environnants.

Les naturalistes utilisent jumelles et télescopes. Jamais ils n'oseraient s'aventurer sur les plaines inondées. Ils craignent avec raison de déranger les oiseaux. Sachez les imiter.

Le centre d'interprétation situé à l'entrée est du village permet de se renseigner sur le rôle écologique important de cette plaine inondable au printemps. Un centre communautaire accueille les touristes à son exposition d'art animalier.

Dans les environs

Pour l'ornithologue amateur qui aurait envie d'étendre le champ de ses explorations, le lac Saint-Pierre (qui n'est pas un véritable lac, mais un élargissement du fleuve Saint-Laurent) constitue, dans son ensemble, un immense lieu d'observation qui abrite un nombre impressionnant d'espèces d'oiseaux. Cependant, l'accès n'est pas toujours facile. Dans certaines baies, on ne peut se déplacer qu'en canot.

Oies des neiges

Près de Nicolet, Port Saint-François offre aux naturalistes deux passerelles qui, dans leur parcours jusqu'au fleuve, enjambent le marais. Sur la rive nord, j'ai aussi expérimenté avec bonheur la Pointe Yamachiche (sortie 180 de l'autoroute 40). Du côté de Berthier, l'île du Moine et l'île Dupas peuvent valoir le détour.

Des buses fréquentent le tronçon d'autoroute entre Pointe-du-Lac et la plaine de Saint-Barthélémy. Le secteur même de Saint-Barthélémy présente un intérêt plutôt relatif, qui varie selon l'importance de la crue printanière.

Enfin, des pourvoyeurs se feront un plaisir de vous conduire en excursion dans les îles de Berthier et de Sorel. Les amateurs intéressés trouveront des points de départ à Louiseville, à Sorel, à Sainte-Anne-de-Sorel et au Nid-d'Aigle, près de Maskinongé.

Moqueur chat

Oriole du nord

Cardinal à poitrine rose

Le parc Summit

On croit généralement que le milieu urbain n'est pas très favorable à l'observation des oiseaux. Pourtant, certains sites urbains permettent bien des découvertes, comme le parc Summit sur le mont Royal. Cette oasis de verdure est un rendez-vous obligé des passereaux lors de leur passage. Tant d'espèces y font halte que les naturalistes le considèrent sans exagération comme l'endroit idéal pour observer, entre autres, parulines, moucherolles, hirondelles, alouettes, bruants et merles, en route vers le nord. De l'avis général, la deuxième semaine de mai est la meilleure période d'observation.

La région de Montréal abrite d'autres sites dignes de mention. En octobre, les goélands affluent au barrage de Beauharnois. Durant la belle saison, le Jardin botanique de Montréal est un véritable refuge ornithologique. Autres lieux de rendez-vous: sur la rive sud, la promenade René-Lévesque; à l'ouest, les rapides de Lachine; à l'est, l'Île aux Fermiers.

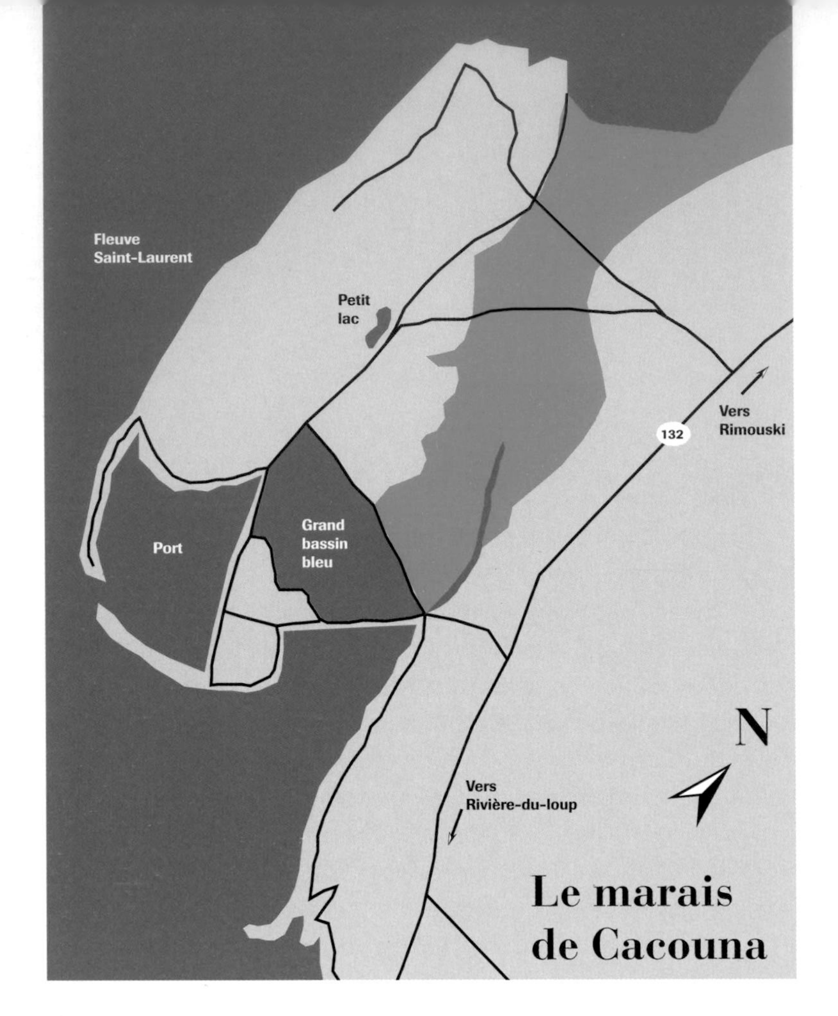

Le marais de Cacouna

Le marais de Cacouna se situe à proximité de Rivière-du-Loup. C'est au mois de mai que le spectacle y est le plus intéressant. On peut y apercevoir des oiseaux jusqu'en octobre, mais je vous recommande d'éviter juillet. La chaleur a alors eu pour effet d'abaisser le niveau de l'eau, ce qui rend le marais inhospitalier à la faune ailée. Vous vous sentirez comme le pêcheur qui, faute de connaître les bons endroits et les bons moments, attend inutilement que le poisson morde.

Bruant des marais

Grand Héron

Bécassin roux

On peut accéder au marais par la route qui mène au port ou par une autre route un peu plus à l'est, aboutée à la 132. Dans le premier cas, l'observation devient intéressante dès le bas de la côte, sur la gauche, au pied du grand bassin, à marée montante ou descendante; le marais se trouve à l'est du bassin.

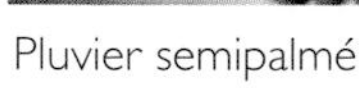

Pluvier semipalmé

Canards chipeau

Bihoreau gris immature

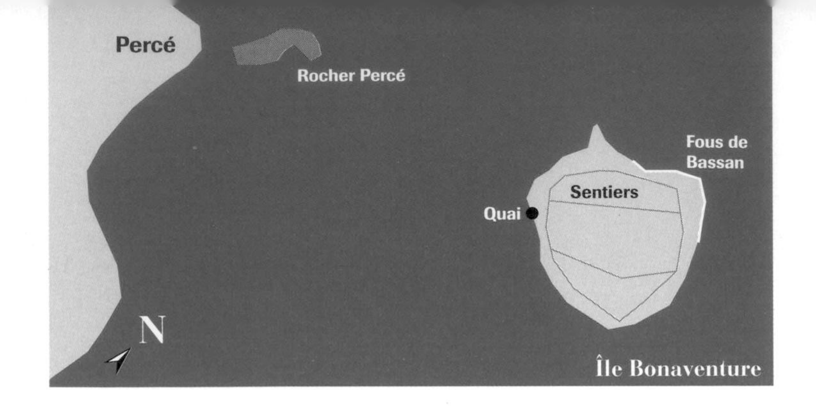

L'ÎLE BONAVENTURE

Les trois sites précédents ont l'avantage de se trouver près de grands centres. Ce n'est pas le cas de l'île Bonaventure, refuge ornithologique de réputation mondiale en raison de sa colonie de *Fous de Bassan*. Plutôt que d'en faire le but unique d'un voyage, je suggère de vous y rendre par un parcours jalonné de nombreux autres sites d'observation, moins spectaculaires peut-être mais riches d'une grande diversité.

Sur la route de la Gaspésie, arrêtez-vous aux battures de La Pocatière, de Kamouraska et de la rivière Ouelle, puis au marais de Cacouna (voir page 136), à L'Isle-Verte et au parc du Bic. En Gaspésie même, la Baie-des-Capucins, les monts Albert et Jacques-Cartier, ainsi que le parc national Forillon vous offriront d'autres belles occasions de découvertes ornithologiques. Le Club des Ornithologues de la Gaspésie décrit pas moins de 30 sites dans son guide intitulé *Itinéraire ornithologique de la Gaspésie*.

Vous voici maintenant à Percé, alléché à la perspective de pouvoir contempler 250 000 oiseaux nichant dans l'île Bonaventure, incluant 70 000 *Fous de Bassan*. Quand vous débarquerez dans l'île, après un tour en bateau qui vous aura permis d'apercevoir des milliers d'oiseaux marins accrochés aux falaises ou en pleine activité de pêche, vous aurez à marcher au moins une demi-heure pour vous rendre au site de nidification des *Fous de Bassan*.

Goéland argenté

Bruant fauve

Vous découvrirez alors une scène saisissante, hallucinante. D'abord, vous ne saurez où donner du regard, mais vous apprendrez vite à concentrer votre attention sur quelques couples. C'est un spectacle dynamique, en constante évolution, qui captive aussi bien les sens de l'ouïe et de l'odorat que celui de la vue. Les heures sont vite passées à observer cette marée grouillante et tonitruante. Et un séjour dans l'île ne donne qu'une envie: y revenir!

Fous de Bassan

Mouette tridactyle

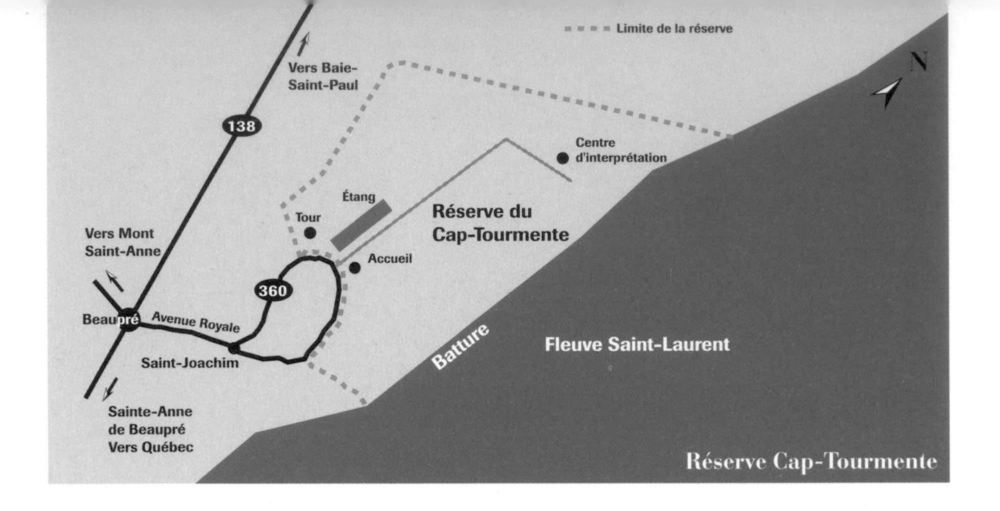

La réserve nationale de Cap-Tourmente

Porte d'entrée de Charlevoix, Cap-Tourmente, est situé près du mont Sainte-Anne, à une quarantaine de kilomètres de Québec, sur la rive nord du Saint-Laurent. Le fleuve et ses battures, les profils montagneux, les terrains plats agrémentés d'étangs et un vaste réseau de sentiers contribuent à faire de cette réserve un site exceptionnel.

Les oiseaux présents donneront peut-être aux amateurs l'impression de se trouver à Baie-du-Febvre. Mais on peut en découvrir beaucoup plus, car les recensements les plus récents chiffrent à 200 les espèces observables durant les mois de mai et d'octobre.

On peut y faire des observations en toute saison. L'*Oie des neiges* est présente du début d'avril à la mi-mai, et de la fin de septembre au début de novembre. Vers le 10 mai, la quantité et la variété d'oiseaux sont phénoménales, surtout dans les sentiers Cédrière, le Pierrier et la Falaise. Pour observer les rapaces, il faut aller au pied de la falaise à l'entrée de la Cédrière. Je vous recommande fortement, si le cœur vous en dit, d'explorer le sentier la Falaise. La vue y est splendide. Notez qu'à l'accueil on vous remettra un plan des différents sentiers de cette magnifique réserve.

Grand héron

Paruline bleue

Oie des neiges

Pour enrichir cette excursion ornithologique, pourquoi ne pas pousser un peu plus loin jusqu'à l'île aux Coudres? Au retour, faites un détour par l'île d'Orléans et attardez-vous sur sa rive sud.

Le club des ornithologues du Québec a publié un guide de la grande région de Québec, dans lequel la réserve de Cap-Tourmente est décrite avec beaucoup de détails.

Chouette épervière

Bruant chanteur

Chouette lapone

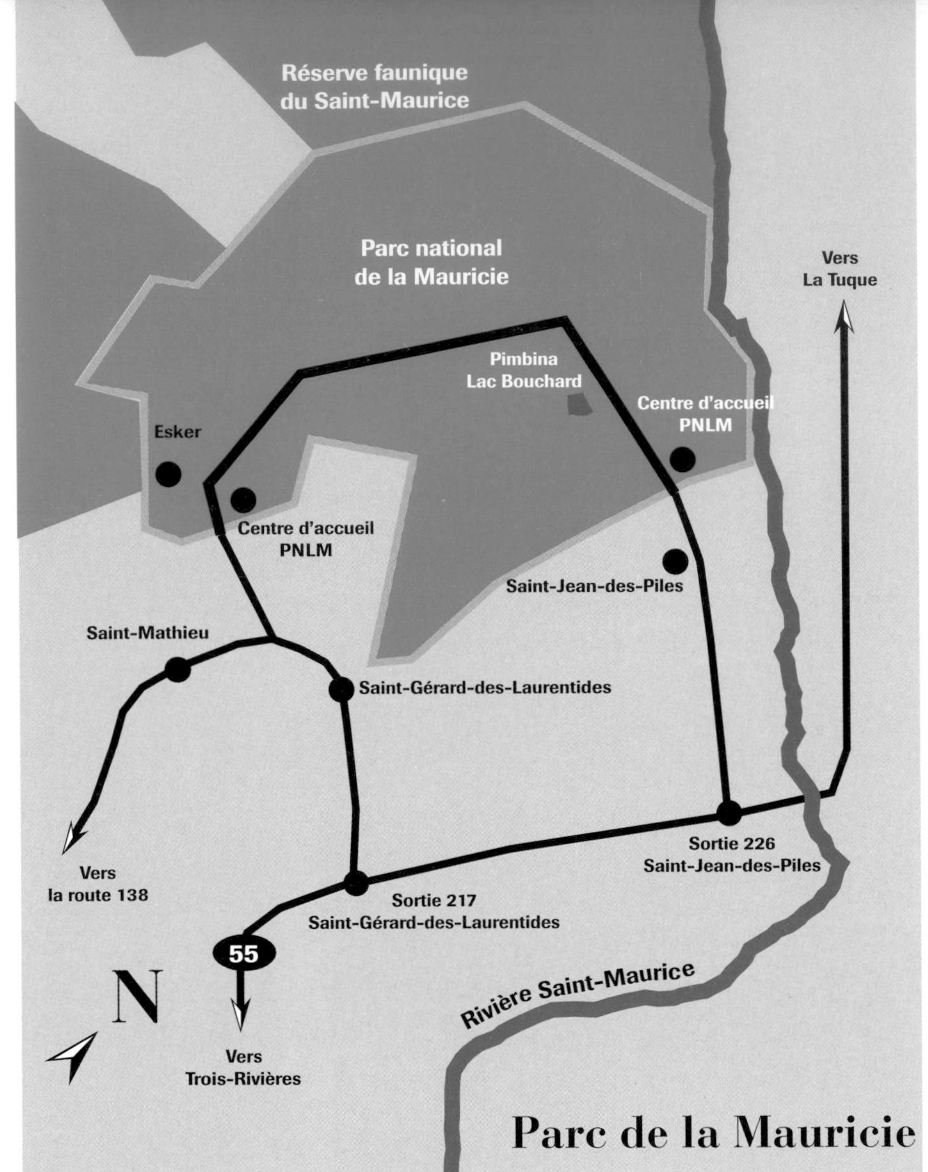

LE PARC NATIONAL DE LA MAURICIE

Le parc national de la Mauricie, paradis des amateurs de plein air et de nature sauvage, est aussi un rendez-vous de prédilection pour les ornithologues. Situé à la jonction de

Mésangeai du Canada

Mésange à tête noire

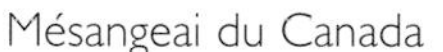

la zone de feuillus avec la forêt boréale, ce territoire généreux héberge environ 200 espèces d'oiseaux appartenant à l'un ou l'autre de ces deux types d'habitat naturel.

On peut se rendre au parc de la Mauricie en empruntant les sorties 217 ou 236 de l'autoroute 55. La première vous conduira aux limites du village de Saint-Mathieu; la seconde vous fera traverser le village de Saint-Jean-des-Piles. Les indications, nombreuses de part et d'autre, vous mèneront facilement au parc.

Mai et septembre sont les mois les plus propices à l'observation. En mai, deux sites comptent parmi mes rendez-vous préférés: l'Esker (par l'entrée Saint-Mathieu)

Paruline à flancs marron

Bruant à gorge blanche

Plongeons huard

et le Pimbina — lac Bouchard — (par l'entrée Saint-Jean-des-Piles). Je fréquente aussi avec bonheur le sentier du lac Étienne, tout près du lac Édouard.

J'ai l'avantage d'habiter tout près du parc, ce qui permet de m'y rendre toute l'année durant. C'est pour moi une immense volière dont je ne finis jamais de découvrir les richesses.

Petite Buse

Gélinotte huppée

Moucherolle tchébec

Coup d'œil sur...
LE PLUVIER BRONZÉ

Je ne peux vous cacher que j'ai un faible pour les oiseaux de rivage. Me voici donc, un jour, dans les battures de Bécancour, à l'affût de tels oiseaux. La veille, par une chance inouïe, j'avais pu observer un oiseau rare au Québec, le *Bécasseau cocorli.* J'essaie de le retrouver; hélas! il est vraisemblablement parti. De guerre lasse, chaussé de mes petites bottes, je m'aventure en eau basse sur un îlot situé un peu plus au large.

Bien posté, je passe un long moment à capter sur pellicule les oiseaux environnants. Satisfait de ma récolte, je décide de plier bagage. Mais il y a un problème: à mon insu et à une allure surprenante, la marée silencieuse m'a emprisonné. Que faire? Attendre patiemment qu'elle redescende ou prendre le risque de traverser en toute hâte? J'opte pour le retour immédiat, ce qui signifie les pieds dans la vase et l'eau dans les bottes! Comme à la Pointe Yamachiche! Mes bottes ont l'expérience, je portais les mêmes! Mais depuis cet épisode, l'eau du Saint-Laurent a refroidi sensiblement; nous sommes en septembre.

Situation malheureuse? Mais non! Je viens d'apercevoir dans les herbages un *Pluvier bronzé.* Vite! Trépied dans le fleuve. Photographe à genoux. Eau à la hauteur de la poitrine. Appareil presque à fleur d'eau. Seul le résultat compte. Ça y est, j'ai mon pluvier!

Je suis quand même à une heure de route de chez moi. Je suis trempé jusqu'aux os. Je n'ai pas de vêtements de rechange. Je risque la pneumonie. Tant pis! C'est le risque du photographe naturaliste et je suis toujours prêt à l'assumer. Heureusement, je m'en tire pour cette fois. Ce qu'on ne ferait pas pour un *Pluvier bronzé*!

CHAPITRE 6

EXERCICES

Vous avez fait vos premières armes? Vous avez attiré quelques espèces près de chez vous, vous avez appris rapidement à les identifier, vous vous êtes rendu dans quelques-uns des sites que je vous ai proposés, vous avez découvert de nouvelles espèces. Mais vous n'arrivez pas toujours à distinguer certaines espèces, vous passez de longues heures sans apercevoir âme qui vole, vous avez peine à reconnaître certains chants, vous vous désespérez à ne pas apercevoir l'oiseau que vous savez pourtant présent...

Vous êtes sur la bonne voie. Vous savez faire preuve de patience et de ténacité. Un peu d'apprentissage théorique ne vous ferait pas de tort. Revoyez vos fiches du répertoire fondamental, replongez-vous dans vos guides. Et faites les exercices qui suivent pour savoir où vous en êtes. Réponses aux pages 159 à 161.

1. Quels sont les 14 traits marquants d'un oiseau?

1. ________	8. ________
2. ________	9. ________
3. ________	10. ________
4. ________	11. ________
5. ________	12. ________
6. ________	13. ________
7. ________	14. ________

aruline masquée

2. Nommez les différentes parties de cet oiseau.

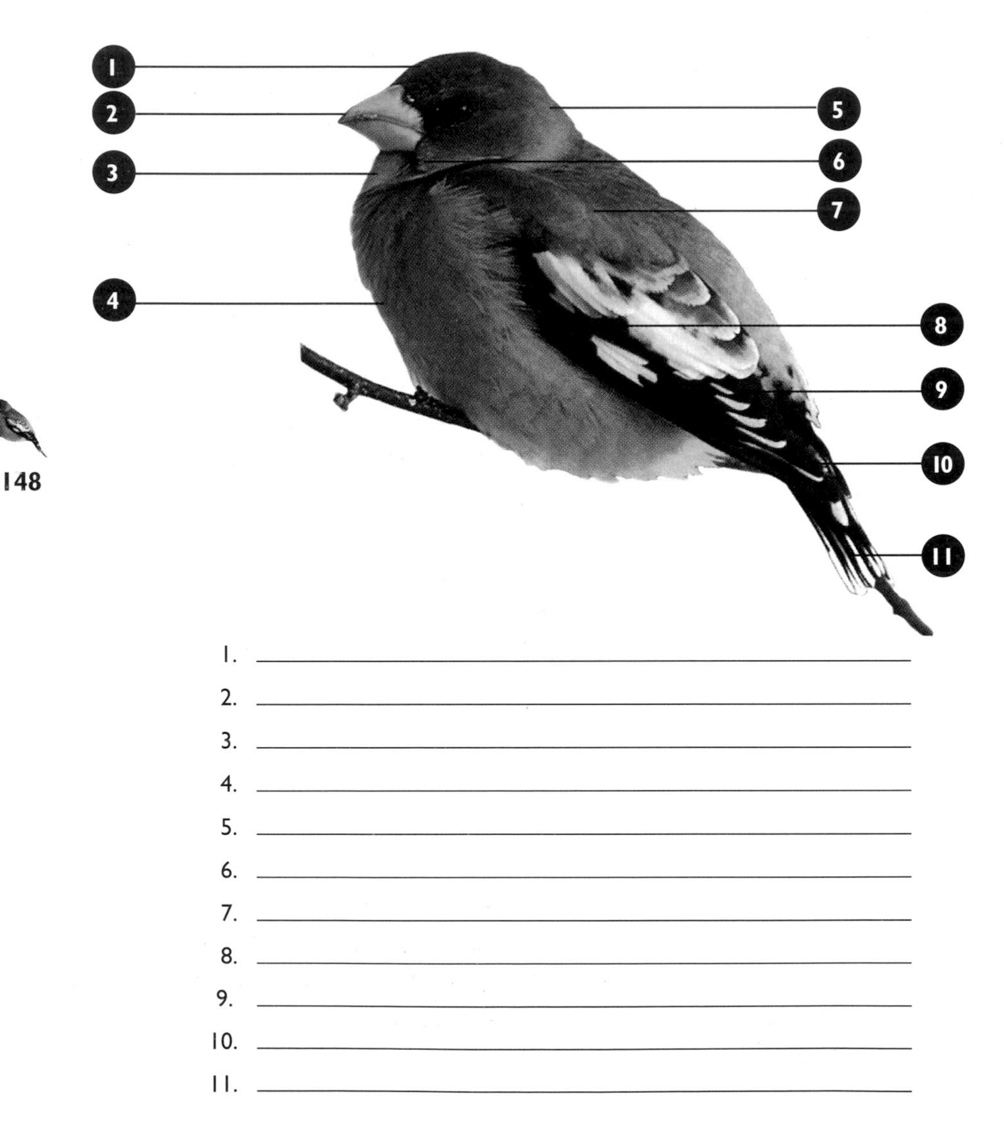

1. ______________________
2. ______________________
3. ______________________
4. ______________________
5. ______________________
6. ______________________
7. ______________________
8. ______________________
9. ______________________
10. ______________________
11. ______________________

3. Combien d'espèces d'oiseaux (à cinq près) un poste d'alimentation peut-il attirer?

3.1 En hiver seulement: ______________

3.2 Dans une année entière: ______________

4. Pour chacun des groupes d'oiseaux énumérés, nommez un arbuste susceptible de les attirer.

4.1 Le *Cardinal à poitrine rose,* les grives, le *Jaseur d'Amérique,* les moqueurs: ______________

4.2 Le *Cardinal à poitrine rose*, le *Durbec des sapins*, la *Gélinotte huppée*, le *Gros-bec errant*, le *Merle d'Amérique*, les moqueurs, les pics, le *Roselin pourpré*: ______________

4.3 Les grives: ______________

4.4 Le *Colibri à gorge rubis*, le *Jaseur d'Amérique*:

____

4.5 Le *Durbec des sapins*, la *Gélinotte huppée*, le *Jaseur boréal*, le *Jaseur d'Amérique*:

____

5. Au cours d'une randonnée d'observation, un de vos amis (naturaliste amateur) a pris la peine de noter certains traits marquants à propos d'une trentaine d'oiseaux de différents milieux. Sauriez-vous identifier ces oiseaux?

5.1 Petit oiseau rondelet à bec court. Bavette et capuchon noirs. Dos gris olive entremêlé de chamois. Aperçu à la mangeoire.

____

5.2 Oiseau brun-roux. Queue rayée, en éventail, avec un large bande noire près du bout. Huppe sur la tête. Poitrine rayée. Aperçu en forêt de feuillus. ______________________

5.3 Oiseau long. Surtout le cou et les pattes. Couleur gris-bleu. Bec long et pointu. Aperçu en eau libre peu profonde. ________________

5.4 Oiseau de mer. Blanc. Ailes aux extrémités noires. Bec grisâtre très pointu. Teintes de jaune sur la tête et le cou. Aperçu à l'île Bonaventure.

____

5.5 Canard aux couleurs voyantes. Tête vert irisé, d'un bleu intense. Huppe tombante. Dos, croupion vert bronzé. Queue vert foncé. Bec rouge. Poitrine et flanc marron. Milieu du dos beige. Aperçu dans un arbre.

____

5.6 Côtés du bec noirâtres. Oiseau blanc. Bec rosé. Pattes et pieds rougeâtres. Aperçu dans un champ inondé.

____

5.7 Jaune serin. Calotte, front, grande partie des ailes et queue noirs. Aperçu dans le jardin.

____

5.8 Petit oiseau agressif. Vole en rase-mottes au-dessus de la tête. Parties supérieures bleu métallique luisant aux reflets verdâtres. Parties inférieures blanches. Aperçu au sortir d'un nichoir.

____

5.9 Tête, dos et queue bleu ciel. Poitrine, côtés et flancs brun rougeâtre. Aperçu à la campagne.

5.10 Très beau chant. Bec fort, court, conique. Tête, cou, poitrine rouge framboise. Dos rayé brunâtre. Aperçu à la lisière de la forêt.

____

5.11 Rapace. Plane et se balance en rase-mottes. Gris clair. Tache blanche sur le croupion. Aperçu dans un champ de foin.

____

5.12 Couronne blanche et bande blanche sur l'avant de l'aile. Tache verte allant de l'œil jusqu'à la nuque. Le reste de la tête est crème tacheté de noir. Aperçu dans un lac peu profond bordé de prés secs et herbeux.

____

5.13 Les ailes arrondies et la queue sont larges. Queue rousse au-dessus et claire en dessous. Bande noire en travers de l'abdomen. Aperçu près d'une clairière.

____

5.14 Trapu. Cou court. Bec effilé. Pattes orange. Dos roux. Coloration de blanc, de noir et de roux. Aperçu en migration, sur un rivage rocailleux.

____

5.15 Bec droit, court et noir. Pattes noires. Fait penser au *Bécasseau minuscule*. Plus gros. Aperçu en terrain tourbeux.

____

5.16 Parties supérieures presque entièrement gris bleuâtre et rayées de noir. Croupion jaune. Tache noire sur la poitrine. Aperçu en forêt de transition mixte.

____

5.17 Tête, cou, dos, gorge et haut de la poitrine noirs. Rectrice noire avec bande orange, ainsi que sur les ailes. Aperçu dans un boisé en régénération. ________________________________

5.18 On dirait un petit bandit avec un bandeau noir sur les yeux. Gorge et poitrine jaunes. Aperçu en bordure d'une route de campagne.

____

5.19 Très bel oiseau. Peu farouche. De couleur grise. Tête blanche avec du noir sur la partie arrière. Bec court noir. Queue longue. Aperçu dans un terrain de camping.

____

5.20 Couleur roussâtre. Gris dans le plumage de la tête et du dos. Poitrine fortement rayée de roux. Aperçu à la lisière de la forêt.

____

5.21 Queue ample et fourchue. Grands yeux. Bec minuscule. Tache alaire blanche. Gorge blanche. Aperçu au crépuscule en milieu urbain.

____

5.22 Petit oiseau. Chant exubérant et vigoureux. Dessus de la tête brun noirâtre. Côtés et flancs brun chamois. Bec fin légèrement recourbé. La queue est souvent dressée. Aperçu dans un marais où poussent des quenouilles. ______________________

5.23 Oiseau minuscule. Fait du surplace. Très mobile. Queue courte. Dessus gris olive. Calotte rubis. Aperçu à la lisière d'un bois.

____

5.24 Œil rouge. Sommet de la tête gris bordé d'une mince ligne foncée. Parties supérieures vert olive terne. Chante de longs moments. Aperçu en forêt dense mixte. ______________________

5.25 Grand hibou. Dessous fortement barré. Bavette blanche voyante. Aigrettes saillantes. Aperçu en milieu ouvert.

5.26 Tourne sur l'eau en petits cercles. Dos marron. Bec très fin. Aperçu sur un étang.

5.27 Bel oiseau. Discret. Bec rougeâtre, effilé et long. Joues grises. Poitrine teintée cannelle. Barres noires sur les flancs. Aperçu sur les bords marécageux d'un lac.

5.28 Queue longue et carrée. Ailes courtes et arrondies. Élégant. Poitrine barrée de blanc et de roux. Partie supérieure bleu foncé. En vol, plusieurs battements rapides suivis d'un vol plané. Aperçu près d'un poste d'alimentation.

5.29 Raie noire sur le côté du cou. Au repos, reste figé. Gorge blanchâtre. Parties supérieures brun jaunâtre et parsemées de petits points. Côtés et abdomen blanc jaunâtre et rayés de brun. Aperçu dans un marais.

5.30 Oiseau trapu. Bec droit, très long. Tête rayée. Raies chamois sur le dos. Queue courte. Poitrine brun chamois, marquée de brun foncé.

Abdomen blanc. Aperçu dans un pâturage humide.

____

6. **On peut classer les oiseaux en cinq groupes selon leurs déplacements annuels et leurs particularités de séjour. Quels sont ces cinq groupes?**

____

____

____

7. **Associez chaque espèce de la colonne de gauche à une espèce de même taille dans la colonne de droite.**

1. Cormoran à aigrettes	A. Mésange à tête noire
2. Crécerelle d'Amérique	B. Pluvier kildir
3. Busard Saint-Martin	C. Oie des neiges
4. Chardonneret jaune	D. Goéland à bec cerclé
5. Harfang des neiges	E. Buse à queue rousse

8. **On peut classer les oiseaux selon le genre de nourriture qu'ils consomment. Par exemple, les frugivores sont surtout des mangeurs de fruits sauvages. Pourriez-vous indiquer à quel type de mangeurs appartiennent les oiseaux qui présentent les caractéristiques suivantes?**

8.1 J'ai le bec fin et effilé. ____________________

8.2 Mon bec est dur et fort. ____________________

8.3 Je déchiquette ma nourriture à l'aide de mon bec crochu. ____________________

9. Associez le bec à l'oiseau.

1. **2.** **3.** **4.**

A. **B.** **C.** **D.**

10. Je reviens d'une randonnée d'observation ornithologique au Québec. Où suis-je allé?

10.1 J'ai visité un marais près de Rivière-du-Loup.

____

10.2 Je suis allé sur une île où nichent des *Fous de Bassan.*

____

10.3 Je me suis arrêté dans un parc au centre-ville de Montréal près de l'oratoire Saint-Joseph.

____

10.4 J'ai vu par milliers des oies, des bernaches et des canards dans des plaines inondées au printemps, près du lac Saint-Pierre.

____

10.5 Je me suis attardé dans une réserve nationale de renommée mondiale, près de Québec.

____

10.6 J'ai séjourné dans un parc national qui représente la zone de transition entre les forêts de feuillus, mixtes et conifériennes, près de Shawinigan.

____

11. Pouvez-vous associer les pattes à l'oiseau?

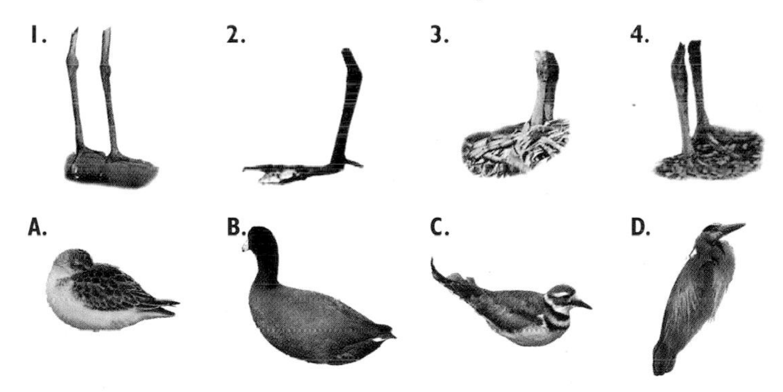

12. Décrivez sommairement l'habitat de chacune des espèces suivantes.

12.1 *Merle d'Amérique* ______________________________

12.2 *Grand Héron* ______________________________

12.3 *Mésange à tête noire* ______________________

12.4 *Busard Saint-Martin* ______________________

12.5 *Bruant familier* __________________________

13. Quelques réflexions

13.1 Certains comportements humains ou certaines attitudes envers les oiseaux menacent leur existence et compromettent même la survie de certaines espèces. Par exemple, le braconnage ou la chasse hors saison, la destruction des habitats naturels, l'épandage de produits chimiques. Par contre, beaucoup d'efforts sont faits pour protéger les oiseaux et même favoriser leur reproduction: installation de mangeoires et de nichoirs, aménagement de réserves... Comment qualifieriez-vous le comportement de votre entourage envers la faune ailée?

____

____

____

____

____

____

____

____

____

13.2 D'une manière générale, croyez-vous que les oiseaux sont en déclin? Y a-t-il des espèces qui sont plutôt en hausse? (Je donne quelques informations sur ce sujet à la page 161.)

____

____

____

13.3 Faites une recherche dans vos guides ou dans d'autres manuels qui portent sur les oiseaux pour savoir d'où viennent les oiseaux qui arrivent au printemps.

RÉPONSES AUX EXERCICES

1. Couleur, taille, forme de l'oiseau, forme du bec, forme des ailes, comportement, forme de la queue; grimpe-t-il? nage-t-il? habitat aquatique? détails de la calotte, motifs particuliers, caractéristiques des pattes, chant.

2. **1.** Calotte. **2.** Bec. **3.** Gorge. **4.** Poitrine. **5.**Œil. **6.** Joue. **7.** Dos. **8.** Aile. **9.** Croupion. **10.** Rectrices. **11.** Queue.

3. **1.** Une vingtaine. **2.** Une quarantaine.

4. **1.** Sureau rouge. **2.** Cerisier de Virginie. **3.** Amélanchier. **4.** Chèvrefeuille. **5.** Pimbina.

5. **1.** *Mésange à tête noire.* **2.** *Gélinotte huppée.* **3.** *Grand Héron.* **4.** *Fou de Bassan.* **5.** *Canard branchu.* **6.** *Oie des neiges.* **7.** *Chardonneret* *jaune.* **8.** *Hirondelle bicolore.* **9.** *Merlebleu de l'est.* **10.** *Roselin pourpré.* **11.** *Busard Saint-Martin.* **12.** *Canard d'Amérique.* **13.** *Buse à queue rousse.* **14.** *Tournepierre à collier.* **15.** *Bécasseau semi-palmé.* **16.** *Paruline à croupion jaune.* **17.** *Paruline flamboyante.* **18.** *Paruline masquée.* **19.** *Mésangeai du Canada.* **20.** *Bruant fauve.* **21.** *Engoulevent d'Amérique.* **22.** *Troglodyte des marais.* **23.** *Roitelet à couronne rubis.* **24.** *Viréo aux yeux rouges.* **25.** *Grand-duc d'Amérique.* **26.** *Phalarope de Wilson.* **27.** *Râle de Virgine.* **28.** *Épervier brun.* **29.** *Butor d'Amérique.* **30.** *Bécassine des marais.*

6. **1.** Nicheurs sédentaires. **2.** Nicheurs résidants. **3.** Hivernants. **4.** Nicheurs migrateurs. **5.** Accidentels.

7. 1C; 2B; 3E; 4A; 5D.

8. **1.** Insectivores. **2.** Granivores. **3.** Carnivores.

9. 1C; 2A; 3D; 4B.

10. **1.** Marais de Cacouna. **2.** Île Bonaventure. **3.** Parc Summit. **4.** Baie-du-Febvre. **5.** Réserve de Cap-Tourmente. **6.** Parc national de la Mauricie.

11. 1D; 2A; 3B; 4C.

12. **1.** *Merle d'Amérique*: milieux ruraux, résidentiels, forêts de feuillus.

2. *Grand Héron*: îles boisées, eau libre peu profonde, étangs, marais.
3. *Mésange à tête noire*: forêt mixte ou de feuillus.
4. *Busard Saint-Martin*: milieux ouverts, marais.
5. *Bruant familier*: milieux urbains, clairières, bord de forêts.

13.2 Le Comité canadien sur le statut des espèces en péril au Canada (COSEPAC) revoit régulièrement le statut des espèces animales en péril. Ces espèces incluent naturellement les oiseaux. Voici, extraites de la liste de 1996, les espèces en péril au Québec:

• **Espèces en danger de disparition** (celles-ci risquent l'extinction ou la disparition imminente dans l'ensemble du Canada ou dans une partie importante de son aire de distribution): *Arlequin plongeur, Faucon pèlerin* (sous-espèce *Anatum*), *Pie-grièche migratrice* (population de l'Est), *Pluvier siffleur.*

• **Espèces menacées** (celles-ci peuvent devenir en danger de disparition si les facteurs qui les rendent vulnérables ne sont pas contrés): *Sterne de Dougall.*

• **Espèces vulnérables** (celles-ci sont particulièrement fragiles à cause du nombre insuffisant d'individus, de leur aire restreinte ou d'autres raisons): *Hibou des marais.*

Il est à noter que l'*Épervier de Cooper* et le *Merlebleu de l'est* ont été retirés de la liste en 1996, donc que ces espèces ne sont plus considérées comme en péril.

CHAPITRE 7
RÉFÉRENCES DOCUMENTAIRES

D'innombrables livres et autres types de documents peuvent compléter le présent guide à des fins d'initiation. Certains sont savants, d'autres sont élémentaires. Beaucoup portent sur les oiseaux familiers qu'on peut attirer chez soi. Les guides les plus pratiques sont évidemment ceux qui se présentent dans un format de poche et dans lesquels il est facile et rapide de trouver des renseignements sur une espèce.

Il vaut toujours mieux se référer à un guide qui ne couvre que les espèces d'une région ou d'une province (comme le Québec) qu'à des ouvrages généraux sur la faune aviaire de l'ensemble du pays, de l'Amérique du Nord, du continent américain ou du monde entier. Évidemment, les guides en provenance d'Europe sont d'une faible utilité pour l'ornithologue amateur québécois.

L'année d'édition est importante, non parce que les ouvrages plus récents permettent d'identifier plus facilement les espèces, mais surtout parce que la nomenclature française a changé radicalement il y a quelques années. Les manuels antérieurs à 1994 présentent les espèces selon l'ancienne nomenclature, ce qui exige un effort de conversion.

LES LIVRES

ARTIGAU, Jean-Pierre, *Sites ornithologiques de l'Outaouais,* Hull, Club des ornithologues de l'Outaouais, 1996, 43 pages.

BANNON, Pierre, *Où et quand observer les oiseaux dans la région de Montréal,* Montréal, Société québécoise de protection des oiseaux et Centre de conservation de la faune ailée, 1991, 361 pages.

BRULOTTE, Suzanne, *Le Canard colvert,* collection L'Envol, L'Acadie, Broquet, 1995, 61 pages.

BURTON, Robert, *Comment nourrir les oiseaux de l'Amérique du Nord,* Guide complet sur l'alimentation, l'observation et la protection des oiseaux, National Audubon Society, Saint-Laurent, Éditions du Trécarré, 1993, 224 pages.

CYR, André et LARIVÉE, Jacques, *Atlas saisonnier des oiseaux du Québec,* Sherbrooke, Société de loisir ornithologique de l'Estrie, 1995, 717 pages.

DAVID Normand, *Liste commentée des oiseaux du Québec,* Montréal, Association québécoise des groupes d'ornithologues, 1996, 169 pages.

DAVID, Normand, *Les Meilleurs Sites d'observation des oiseaux au Québec,* Sillery, Québec-Science, 1990, 169 pages.

DION, André, *Attirer les oiseaux, les loger, les nourrir,* Montréal, Le Jour éditeur, 1996, 144 pages.

DION, André, et SOKOLYK, Michel, *Guide des oiseaux saison par saison,* Montréal, les Éditions de l'Homme, 1995, 288 pages.

FRADETTE, Pierre, *Les Oiseaux des Îles-de-la-Madeleine, Attention Frag'Îles,* L'Étang du Nord, Mouvement pour la valorisation du patrimoine naturel des Îles, 1992, 292 pages.

GAUTHIER, Jean et AUBRY, Yves (ouvrage collectif sous la direction de), *Les Oiseaux nicheurs du Québec — Atlas des oiseaux nicheurs du Québec méridional,* Montréal, Association québécoise des groupes d'ornithologues, Société québécoise de protection des oiseaux, Service canadien de la faune, Environnement Canada, région du Québec, 1995, 1295 pages.

GINGRAS, Pierre, *Secrets d'oiseaux,* Montréal, Le Jour éditeur, 1996, 192 pages.

GIRARD, Sylvie, *Itinéraire ornithologique de la Gaspésie,* Percé, Club des ornithologues de la Gaspésie, 1988, 166 pages.

GODFREY, W. Earl, *Les Oiseaux du Canada,* Musée national des sciences naturelles, L'Acadie, Broquet, 1989, 650 pages.

HARNOIS, Marcel et DUCHARME, Claude, *À la découverte des oiseaux de Lanaudière,* Joliette, La Société d'ornithologie de Lanaudière, 1997, 298 pages.

LANE, Peter, *L'Alimentation des oiseaux,* L'Acadie, Broquet, 1987, 181 pages.

LEPAGE, Denis, *L'Observation des oiseaux en Estrie,* Sherbrooke, Société de loisir ornithologique de l'Estrie, 1993, 289 pages.

NATIONAL GEOGRAPHIC SOCIETY, *Guide d'identification des oiseaux de l'Amérique du Nord,* L'Acadie, Broquet, 1987, 472 pages.

OTIS, Pierre, MESSELY, Louis et TALBOT, Denis, *Guide des sites de la grande région de Québec,* Québec, Club des ornithologues de Québec Inc., 1993, 300 pages.

PARC NATIONAL DE LA MAURICIE, *Oiseaux, où êtes-vous?* Shawinigan, Parcs Canada, district de la Mauricie, 1986, 24 pages.

PETERSON, Roger Tory, *Les Oiseaux de l'est de l'Amérique du Nord,* L'Acadie, Broquet, 1994, 386 pages.

ROBERT, Michel, *Les Oiseaux menacés du Québec,* Québec, Association québécoise des groupes d'ornithologues et Environnement Canada, 1989, 109 pages.

ROBBINS, CHANDLER S., BRUUN, Bertel, ZIM, HERBERT S., ill. de Singer, Arthur, *Guide des oiseaux d'Amérique du Nord,* L'Acadie, Broquet, 1980, 351 pages.

SOCIÉTÉ ORNITHOLOGIQUE DU CENTRE DU QUÉBEC, *L'Observation des oiseaux du lac Saint-Pierre,* Drummondville, Société ornithologique du Centre du Québec, 1988, 239 pages.

STOKES, Donald & Lillian, *Guide des oiseaux de l'est de l'Amérique du Nord,* L'Acadie, Broquet, 1997, 471 pages.

SURPRENANT, Marc, *Les Oiseaux aquatiques du Québec, de l'Ontario et des Maritimes,* Waterloo, Michel Quintin, 1993, 285 pages.

Les affiches

Nature experts, *Affiches des oiseaux dans différents habitats,* Montréal, Centre de conservation de la faune ailée de Montréal.

Sokolyk, Michel, *Affiches des oiseaux aux mangeoires,* L'Acadie, Broquet.

Sokolyk, Michel, *Milieux aquatiques,* L'Acadie, Broquet.

Les vidéos

Després, Danielle, *Becs fins, Saint-Michel de Bellechasse,* Les Productions Sur le vif.

Frund, Jean-Louis, *De ma fenêtre,* Les Productions Jean-Louis Frund Inc., 1994.

Frund, Jean-Louis, *Le Prince Harfang,* Les Productions Jean-Louis Frund Inc., 1994.

Les enregistrements sonores

Cornell Laboratory of ornithology — Interactive Audio, *A Field Guide to Bird Songs,* Eastern and Central North America (disque compact), dans la collection Peterson Field Guides, Houghton Mifflin Company, 1990.

Elliott, Lang, *Les Oiseaux de nos jardins et de nos campagnes* (disque compact), Centre de conservation de la faune ailée de Montréal, 1992.

Mack, Ted et Elliott, Lang, *Les Sons de nos forêts* (disque compact), Centre de conservation de la faune ailée de Montréal, 1991.

Les sites sur internet

En visitant le site internet «Les oiseaux du Québec» (http://ntic.qc.ca/~nellus/), vous aurez accès à une foule de «liens» vers d'autres sites sur l'ornithologie du Québec, tels:

Club des ornithologues de Québec
Club ornithologique des Hautes-Laurentides

Nature expert
Harmonie d'oiseaux
Oies de neiges au Cap-Tourmente
Club d'ornithologie de la région des moulins
Québec oiseaux
Club aux oiseaux Charlevoix
Broquet inc.

BONNES ADRESSES

Lire la nature inc.
1699, chemin de Chambly
Longueuil, Québec
J4J 3X7
(514) 463-5072

Nature expert
7950, rue de Marseille
Montréal, Québec
H1L 1N7
(514) 351-5861

Le naturaliste
1990, rue Jean-Talon Nord,
bureau 106
Québec, Québec
G1N 4K8
(418) 527-1414

ANNEXE I
LES CLUBS D'ORNITHOLOGIE

Un excellent moyen de s'initier aux oiseaux consiste à devenir membre d'un club d'ornithologie. Vous aurez l'occasion d'y côtoyer des passionnés comme vous. Vous y trouverez des amateurs qui connaissent bien votre région et les oiseaux qu'on peut y observer. Ce sont des livres ambulants qui feront encore plus que vous initier, ils vous communiqueront leur enthousiasme.

Vous pourrez, en tant que membre, assister aux réunions du club, participer à des randonnées, recevoir le journal du club et la revue *Québec oiseaux*. Vous participerez également au recensement annuel Audubon et à des concours d'observation comme le Ti-huit, dans le bas du Fleuve, qui consiste à observer le plus grand nombre d'oiseaux dans un délai donné.

On organise aussi des «jamborees», c'est-à-dire des rassemblements d'ornithologues. Par exemple, à la fin du mois de mai 1997, la Société d'ornithologie de Lanaudière a accueilli à Sainte-Béatrix 87 ornithologues en provenance de 12 clubs. Ces amateurs ont dénombré pas moins de 130 espèces d'oiseaux au cours de leurs observations.

Tous les clubs d'ornithologie au Québec font partie de l'Association québécoise des groupes d'ornithologues (AQGO), organisme sans but lucratif dont l'objectif principal est de favoriser la promotion et le développement du loisir ornithologique, en plus d'assurer la protection des oiseaux du Québec.

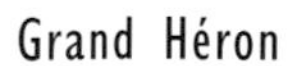
Grand Héron

Le territoire québécois dispose d'un autre réseau, appelé Ricoche. Chaque club régional y délègue quelques-uns de ses membres qui, ensemble, jouent un peu le rôle de sentinelles. Si quelqu'un, dans une région, observe un ou plusieurs oiseaux qui n'apparaissent pas dans la liste d'observation des oiseaux du Québec méridional reproduite à l'annexe 3, le réseau Ricoche est immédiatement mis en alerte; en un temps record, tout le Québec apprend la présence à tel endroit du ou des spécimens rares. Il se peut que le lieu en question se situe loin de chez vous. Mais le contraire peut se produire et tourner à votre avantage.

Il y a quelques années, un Bruant de Lincoln a séjourné tout un hiver chez moi. C'était très loin de son aire d'hivernage habituel. Mon club m'a appris que cette anomalie n'avait été signalée qu'une seule fois auparavant.

Code d'éthique

Les membres des clubs d'ornithologie s'engagent généralement à observer un code d'éthique, c'est-à-dire un ensemble de règles de comportement. Ces règles ont notamment été établies pour protéger l'environnement, dont les oiseaux font partie, mais aussi pour permettre aux ornithologues de faire bon ménage avec les gens au voisinage desquels ils exercent leurs activités.

Voici le code d'éthique proposé par l'Association québécoise des groupes d'ornithologues, qui nous a aimablement autorisés à le reproduire ici.

L'observation des oiseaux étant devenue un loisir et une science des plus populaires, ce code d'éthique est un outil qui permettra à toute personne ayant du plaisir et de l'intérêt à utiliser ce guide de tenir compte des règles de base pour le respect des individus, des oiseaux et de l'environnement. Le code d'éthique comprend quatre énoncés.

1. Le comportement des ornithologues doit être orienté vers le respect et la non-perturbation des activités normales des oiseaux. En accord avec cet énoncé, il est recommandé:

- d'éviter d'effrayer inutilement les oiseaux;
- d'éviter de s'approcher des nids ou des colonies pour ne pas les perturber, les stresser ou les exposer aux dangers (refroidissement, prédateurs);
- de ne pas manipuler les œufs ni les jeunes;
- de photographier en ne dérangeant pas le camouflage des nids ou en n'entrant pas dans une colonie;
- d'éviter d'utiliser de façon abusive les enregistrements sonores ou les imitations pour attirer les oiseaux plus discrets et de ne pas les utiliser dans les sites achalandés.

2. Le comportement des ornithologues doit être orienté vers le respect et la protection du milieu de vie des oiseaux. En accord avec cet énoncé, il est recommandé:

- d'éviter de piétiner la végétation et d'endommager le sol en cueillant des plumes ou en s'écartant des sentiers lors des déplacements;
- de ne laisser aucun déchet sur les sites (ce qui s'apporte se rapporte), papiers-mouchoirs et autres

déchets dits biodégradables étant une pollution visuelle;

- d'apporter une attention particulière aux habitats fragiles;
- de garer son automobile dans les endroits prévus à cette fin.

3. Le comportement des ornithologues doit être orienté vers le respect de la propriété privée. En accord avec cet énoncé, il est recommandé:

- de demander la permission, à des heures raisonnables, avant d'entrer sur une propriété privée et de respecter les affiches «Défense de passer»;
- dans la mesure du possible, d'informer les propriétaires de la richesse de l'avifaune des sites visités;
- de ne pas obstruer les entrées privées;
- de prendre soin de refermer les barrières et de ne pas endommager les clôtures;
- de ne pas déranger les animaux en pâturage;
- de respecter les règlements en vigueur dans les endroits publics.

4. Le comportement des ornithologues doit être orienté vers le respect des autres observateurs. En accord avec cet énoncé, il est recommandé:

En tant qu'individu:

- d'éviter de fermer bruyamment les portières de voiture;

- de parler à voix basse et de restreindre les conversations à l'essentiel;
- de permettre aux autres d'observer l'oiseau qui retient l'attention;
- de laisser les animaux domestiques à la maison.

En tant que responsable de groupe:

- d'informer les membres de toute réglementation ou conduite applicable aux sites visités;
- d'enseigner aux autres ornithologues les règles du code d'éthique et d'adopter un comportement en accord avec ces énoncés.

Adresses des clubs affiliés à l'AGQO

Les clubs sont classés selon l'ordre alphabétique des localités où ils se situent. Cette liste a été mise à jour le 31 août 1997.

Les observateurs d'oiseaux de la Rivière-du-Nord
1134, rue Mathieu
Bellefeuille, Québec
J0R 1A0

Club d'ornithologie des Îles-de-la-Madeleine
C.P. 1239
Cap-aux-Meules, Québec
G0B 1B0

Club d'ornithologie de la Manicouagan
C.P. 2513
Baie-Comeau, Québec
G5C 2T2

Club des ornithologues de Châteauguay
15, boul. Maple
Châteauguay, Québec
J6J 3P7

Club des ornithologues de Brome-Missisquoi
C.P. 256
Cowansville, Québec
J2K 3S7

Société ornithologique du centre du Québec
C.P. 131
Drummondville, Québec
J2B 6V6

Club d'observateurs d'oiseaux de la Haute-Yamaska
C.P. 813
Granby, Québec
J2G 8W8

Club ornithologique de la Mauricie
C.P. 21
Grand-Mère, Québec
G9T 5K7

Club des ornithologues de l'Outaouais
C.P. 419, succursale A
Hull, Québec
J8Y 6P2

Société d'ornithologie de Lanaudière
C.P. 339
Joliette, Québec
J6E 3Z6

Club des ornithologues amateurs du Saguenay – Lac Saint-Jean
C.P. 1265
Jonquière, Québec
G7S 4K8

Société d'ornithologie du Témiscamingue
C.P. 137
Latulipe, Québec
J0Z 2N0

Club d'observateurs d'oiseaux de Laval
3235, boul. Saint-Martin Est, bureau 215
Laval, Québec
H7E 5G8

Club d'ornithologie de Longueuil
C.P. 21099, Comptoir Jacques-Cartier
Longueuil, Québec
J4J 5J4

Club d'ornithologie d'Ahuntsic
C.P. 35045, 1221, rue Fleury Est
Montréal, Québec
H2C 3K4

Société de biologie de Montréal
4777, avenue Pierre-de-Coubertin
Montréal, Québec
H1V 1B3

Société québécoise de protection des oiseaux
C.P. 43, succursale B
Montréal, Québec
H3B 3J5

Club des ornithologues de la Gaspésie
C.P. 334
Pabos, Québec
G0C 2H0

Club des ornithologues du Bas-Saint-Laurent
C.P. 118
Pointe-au-Père, Québec
G5M 1R1

Club des ornithologues de Québec
Domaine Maizerets
2000, boul. Montmorency
Québec, Québec
G1J 5E7

Société du loisir ornithologique de l'Abitibi
C.P. 91
Rouyn-Noranda, Québec
J9X 5C1

Club des ornithologues de la région de l'Amiante
5070, route Domaine du Lac
Saint-Ferdinand, Québec
G0N 1N0

Club du loisir ornithologique maskoutain
2070, rue Saint-Charles
Saint-Hyacinthe, Québec
J2T 1V2

Les Ornithologues sud-côtois
C.P. 994
Saint-Jean-Port-Joli, Québec
G0R 3G0

Club ornithologique des Hautes-Laurentides
C.P. 291
Saint-Jovite, Québec
J0T 2H0

Société d'observation de la faune ailée du Sud-Ouest
C.P. 1231
Saint-Timothée, Québec
J6S 6S1

Société de loisir ornithologique de l'Estrie
C.P. 1263
Sherbrooke, Québec
J1H 5L7

Club d'ornithologie Sorel-Tracy
C.P. 1111
Sorel, Québec
J3P 7L4

Club d'ornithologie de la région des Moulins
C.P. 239
Terrebonne, Québec
J6W 3L5

Club d'ornithologie de Trois-Rivières
C.P. 953
Trois-Rivières, Québec
G9A 5K2

Club des ornithologues des Bois-Francs
21, rue Roger
Victoriaville, Québec
G6P 2A8

ANNEXE 2

LISTE DES OISEAUX DU QUÉBEC MÉRIDIONAL

La liste qui suit présente les oiseaux dans l'ordre alphabétique selon la nomenclature officielle; l'astérisque qui suit certains noms indique qu'il s'agit de l'une des 118 espèces du répertoire fondamental présenté au chapitre 3. La deuxième colonne donne, dans certains cas, le nom antérieur à l'une ou l'autre des deux révisions mentionnées aux pages 12 et 13 (1983 et 1993). La troisième colonne indique le nom scientifique latin. La quatrième renvoie au numéro du feuillet d'observations, de l'AQGO (voir page 186).

Nomenclature officielle	Ancienne appellation	Nom scientifique	N° du feuillet
Aigle royal		*Aquila chrysaetos*	168
Aigrette bleue		*Egretta cærulea*	066
Aigrette neigeuse		*Egretta thula*	070
Alouette hausse-col*	Alouette cornue	*Eremophila alpestris*	467
Arlequin plongeur	Canard arlequin	*Histrionicus histrionicus*	128
Autour à palombes		*Accipiter gentilis*	51
Balbuzard pêcheur	Balbuzard	*Pandion haliætus*	171
Barge hudsonienne		*Limosa hæmastica*	263
Barge marbrée		*Limosa fedoa*	261
Bec-croisé bifascié	Bec-croisé à ailes blanches	*Loxia leucoptera*	715
Bec-croisé des sapins	Bec-croisé rouge	*Loxia curvirostra*	714
Bécasse d'Amérique		*Scolopax minor*	233
Bécasseau à croupion blanc		*Calidris fuscicollis*	250
Bécasseau à échasses		*Calidris himantopus*	257
Bécasseau à poitrine cendrée*		*Calidris melanotos*	249
Bécasseau d'Alaska		*Calidris mauri*	259
Bécasseau de Baird		*Calidris bairdiis*	251

Nomenclature officielle	Ancienne appellation	Nom scientifique	N° du feuillet
Bécasseau maubèche		*Calidris canutus*	245
Bécasseau minuscule*		*Calidris minutilla*	252
Bécasseau roussâtre		*Tryngites subruficollis*	260
Bécasseau sanderling		*Calidris alba*	266
Bécasseau semipalmé*		*Calidris pusilla*	258
Bécasseau variable		*Calidris alpina*	254
Bécasseau violet		*Calidris maritima*	246
Bécassin à long bec		*Limnodromus scolopaceus*	256
Bécassin roux	Bécasseau roux	*Limnodromus griseus*	255
Bécassine des marais*		*Gallinago gallinago*	234
Bernache cravant		*Branta bernicla*	090
Bernache du Canada*		*Branta canadensis*	089
Bihoreau gris	Bihoreau à couronne noire	*Nycticorax nycticorax*	072
Bruant à couronne blanche*		*Zonotrichia leucophrys*	760
Bruant à gorge blanche*		*Zonotrichia albicollis*	764
Bruant à queue aiguë		*Ammodramus caudacutus*	730
Bruant chanteur*		*Melospiza melodia*	770
Bruant de Le Conte		*Ammodramus leconteii*	728
Bruant de Lincoln		*Melospiza lincolnii*	768
Bruant des champs		*Spizella pusilla*	756
Bruant des marais		*Melospiza georgiana*	769
Bruant des neiges*		*Plectrophenax nivalis*	776
Bruant des plaines		*Spizella pallida*	754
Bruant des prés*		*Passerculus sandwichensis*	725
Bruant familier*		*Spizella passerina*	753
Bruant fauve*		*Passerella iliaca*	767
Bruant hudsonien*		*Spizella arborea*	752
Bruant lapon		*Calcarius lapponicus*	773
Bruant sauterelle		*Ammodramus savannarum*	726
Bruant vespéral		*Pooecetes gramineus*	734
Busard Saint-Martin*		*Circus cyaneus*	170
Buse à épaulettes		*Buteo lineatus*	156
Buse à queue rousse*		*Buteo jamaicensis*	154
Buse pattue*		*Buteo lagopus*	163
Butor d'Amérique*		*Botaurus lentiginosus*	075
Canard branchu*		*Aix sponsa*	118

Nomenclature officielle	Ancienne appellation	Nom scientifique	N° du feuillet
Canard chipeau		*Anas strepera*	109
Canard colvert*		*Anas platyrhynchos*	102
Canard d'Amérique*	Canard siffleur d'Amérique	*Anas americana*	116
Canard noir		*Anas rubripes*	107
Canard pilet*		*Anas acuta*	110
Canard siffleur	Canard siffleur d'Europe	*Anas penelope*	115
Canard souchet*		*Anas clypeata*	117
Cardinal à poitrine rose*		*Pheucticus ludovicianus*	689
Cardinal rouge*		*Cardinalis cardinalis*	687
Carouge à épaulettes*		*Agelaius phœniceus*	665
Carouge à tête jaune		*Xanthocephalus xanthocephalus*	664
Chardonneret jaune*		*Carduelis tristis*	711
Chevalier grivelé*	Chevalier branlequeue	*Actitis macularia*	239
Chevalier semipalmé		*Catoptrophorus semipalmatus*	242
Chevalier solitaire		*Tringa solitaria*	240
Chouette épervière*		*Surnia ulula*	366
Chouette lapone*		*Strix nebulosa*	373
Chouette rayée*		*Strix varia*	371
Colibri à gorge rubis*		*Archilochus colubris*	389
Combattant varié	Bécasseau combattant	*Philomachus pugnax*	265
Cormoran à aigrettes*		*Phalacrocorax auritus*	054
Corneille d'Amérique*		*Corvus brachyrynchos*	488
Coulicou à bec jaune		*Coccyzus americanus*	355
Coulicou à bec noir		*Coccyzus erythropthalmus*	356
Courlis corlieu		*Numenius phæopus*	236
Crécerelle d'Amérique*		*Falco sparverius*	178
Cygne siffleur		*Cygnus columbianus*	086
Dickcissel d'Amérique	Dickcissel	*Spiza americana*	697
Dindon sauvage		*Meleagris gallopavo*	202
Durbec des sapins*	Dur-bec des pins	*Pinicola enucleator*	703
Eider à duvet		*Somateria mollissima*	130
Eider à tête grise		*Somateria spectabilis*	131
Engoulevent bois-pourri		*Caprimulgus vociferus*	379
Engoulevent d'Amérique*		*Chordeiles minor*	382
Épervier brun*		*Accipiter striatus*	152
Épervier de Cooper		*Accipiter cooperii*	153

Nomenclature officielle	Ancienne appellation	Nom scientifique	N° du feuillet
Érismature rousse	Canard roux	*Oxyura jamaicensis*	137
Étourneau sansonnet*		*Sturnus vulgaris*	569
Faucon émerillon*		*Falco columbarius*	177
Faucon gerfaut		*Falco rusticolus*	173
Faucon pèlerin		*Falco peregrinus*	175
Fou de Bassan*		*Morus bassanus*	052
Foulque d'Amérique*		*Fulica americana*	215
Fuligule à collier*	Morillon à collier	*Aythya collaris*	120
Fuligule à dos blanc	Morillon à dos blanc	*Aythya valisineria*	121
Fuligule à tête rouge*	Morillon à tête rouge	*Aythya americana*	119
Fuligule milouinan	Grand Morillon	*Aythya marila*	122
Fulmar boréal		*Fulmarus glacialis*	015
Gallinule poule-d'eau	Poule-d'eau	*Gallinula chloropus*	214
Garrot à œil d'or*		*Bucephala clangula*	124
Garrot d'Islande	Garrot de Barrow	*Bucephala islandica*	125
Geai bleu*		*Cyanocitta cristata*	478
Gélinotte huppée*		*Bonasa umbellus*	184
Gobemoucheron gris-bleu		*Polioptila cœrulea*	555
Goéland à bec cerclé*		*Larus delawarensis*	285
Goéland arctique		*Larus glaucoides*	278
Goéland argenté*		*Larus argentatus*	283
Goéland bourgmestre		*Larus hyperboreus*	277
Goéland brun		*Larus fuscus*	282
Goéland marin*	Goéland à manteau noir	*Larus marinus*	280
Goglu des prés*	Goglu	*Dolichonyx oryzivorus*	661
Grand Chevalier*		*Tringa melanoleuca*	243
Grand Corbeau		*Corvus corax*	486
Grand Cormoran		*Phalacrocorax carbo*	053
Grand Harle	Grand Bec-scie	*Mergus merganser*	141
Grand Héron*		*Ardea herodias*	063
Grand Pic*		*Dryocopus pileatus*	412
Grand-duc d'Amérique*		*Bubo virginianus*	364
Grande Aigrette		*Casmerodius albus*	069
Grèbe à bec bigarré*		*Podilymbus podiceps*	010
Grèbe esclavon	Grèbe cornu	*Podiceps auritus*	006
Grèbe jougris		*Podiceps grisegena*	005

Nomenclature officielle	Ancienne appellation	Nom scientifique	N° du feuillet
Grimpereau brun		*Certhia americana*	513
Grive à dos olive		*Catharus ustulatus*	543
Grive à joues grises		*Catharus minimus*	544
Grive des bois		*Hylocichla mustelina*	541
Grive fauve*		*Catharus fuscescens*	545
Grive solitaire		*Catharus guttatus*	542
Gros-bec errant*		*Coccothraustes vespertinus*	698
Grue du Canada		*Grus canadensis*	205
Guifette noire		*Chlidonias niger*	311
Guillemot à miroir		*Cepphus grylle*	321
Guillemot de Brünnich	Marmette de Brünnich	*Uria lomvia*	319
Guillemot marmette	Marmette de Troïl	*Uria aalge*	318
Harelde kakawi	Canard kakawi	*Clangula hyemalis*	127
Harfang des neiges*		*Nyctea scandiaca*	365
Harle couronné*	Bec-scie couronné	*Lophodytes cucullatus*	140
Harle huppé	Bec-scie à poitrine rousse	*Mergus serrator*	142
Héron garde-bœufs		*Bubulcus ibis*	067
Héron vert		*Butorides striatus*	065
Hibou des marais		*Asio flammeus*	375
Hibou moyen-duc		*Asio otus*	374
Hirondelle à ailes hérissées		*Stelgidopteryx serripennis*	471
Hirondelle à front blanc*		*Hirundo pyrrhonota*	473
Hirondelle bicolore*		*Tachycineta bicolor*	469
Hirondelle de rivage		*Riparia riparia*	470
Hirondelle noire*		*Progne subis*	475
Hirondelle rustique*	Hirondelle des granges	*Hirundo rustica*	472
Ibis falcinelle		*Plegadis falcinellus*	078
Jaseur boréal*		*Bombycilla garrulus*	564
Jaseur d'Amérique*	Jaseur des cèdres	*Bombycilla cedrorum*	565
Junco ardoisé*		*Junco hyemalis*	744
Labbe à longue queue		*Stercorarius longicaudus*	275
Labbe parasite		*Stercorarius parasiticus*	274
Labbe pomarin		*Stercorarius pomarinus*	273
Lagopède des saules		*Lagopus lagopus*	185
Macareux moine		*Fratercula arctica*	330
Macreuse à front blanc		*Melanitta perspicillata*	135

Nomenclature officielle	Ancienne appellation	Nom scientifique	N° du feuillet
Macreuse brune	Macreuse à ailes blanches	*Melanitta fusca*	134
Macreuse noire	Macreuse à bec jaune	*Melanitta nigra*	136
Marouette de Caroline	Râle de Caroline	*Porzana carolina*	210
Martin-pêcheur d'Amérique*		*Ceryle alcyon*	405
Martinet ramoneur		*Chœtura pelagica*	385
Maubèche des champs		*Bartramia longicauda*	238
Mergule nain		*Alle alle*	320
Merle d'Amérique*		*Turdus migratorius*	539
Merlebleu de l'est*	Merle-bleu de l'est	*Sialia sialis*	546
Mésange à tête brune		*Parus hudsonicus*	500
Mésange à tête noire*		*Parus atricapillus*	495
Mésange bicolore		*Parus bicolor*	502
Mésangeai du Canada*	Geai gris ou Geai du Canada	*Perisoreus canadensis*	477
Moineau domestique*		*Passer domesticus*	655
Moqueur chat*		*Dumetella carolinensis*	529
Moqueur polyglotte*		*Mimus polyglottos*	528
Moqueur roux*		*Toxostoma rufum*	530
Moucherolle à côtés olive		*Contopus borealis*	462
Moucherolle à ventre jaune		*Empidonax flaviventris*	449
Moucherolle des aulnes		*Empidonax alnorum*	451
Moucherolle des saules		*Empidonax traillii*	465
Moucherolle phébi*		*Sayornis phœbe*	446
Moucherolle tchébec*		*Empidonax minimus*	452
Mouette atricille	Mouette à tête noire	*Larus atricilla*	288
Mouette de Bonaparte		*Larus philadelphia*	290
Mouette de Franklin		*Larus pipixcan*	289
Mouette de Sabine		*Xema sabini*	297
Mouette pygmée		*Larus minutus*	291
Mouette rieuse		*Larus ridibundus*	287
Mouette tridactyle*		*Rissa tridactyla*	294
Nyctale de Tengmalm	Nyctale boréale	*Ægolius funereus*	376
Océanite cul-blanc	Pétrel cul-blanc	*Oceanodroma leucorhoa*	030
Océanite de Wilson	Pétrel océanite	*Oceanites oceanicus*	032
Oie de Ross		*Chen rossii*	098
Oie des neiges*		*Chen caerulescens*	096
Oie rieuse		*Anser albifrons*	094

Nomenclature officielle	Ancienne appellation	Nom scientifique	N° du feuillet
Oriole du nord		*Icterus galbula*	673
Paruline à ailes dorées		*Vermivora chrysoptera*	601
Paruline à calotte noire		*Wilsonia pusilla*	649
Paruline à collier		*Parula americana*	612
Paruline à couronne rousse		*Dendroica palmarum*	636
Paruline à croupion jaune*		*Dendroica coronata*	619
Paruline à flancs marron		*Dendroica pensylvanica*	630
Paruline à gorge grise		*Oporornis agilis*	641
Paruline à gorge noire*	Paruline verte à gorge noire	*Dendroica virens*	623
Paruline à gorge orangée*		*Dendroica fusca*	627
Paruline à joues grises		*Vermivora ruficapilla*	608
Paruline à poitrine baie		*Dendroica castanea*	631
Paruline à tête cendrée		*Dendroica magnolia*	616
Paruline azurée		*Dendroica cerulea*	626
Paruline bleue*	Paruline bleue à gorge noire	*Dendroica cæruslescens*	618
Paruline couronnée		*Seiurus aurocapillus*	637
Paruline des pins		*Dendroica pinus*	633
Paruline des ruisseaux		*Seiurus noveboracensis*	638
Paruline du Canada		*Wilsonia canadensis*	650
Paruline flamboyante*		*Setophaga ruticilla*	651
Paruline jaune*		*Dendroica petechia*	615
Paruline masquée*		*Geothlypis trichas*	644
Paruline noir et blanc		*Mniotilta varia*	597
Paruline obscure		*Vermivora peregrina*	606
Paruline rayée		*Dendroica striata*	632
Paruline tigrée		*Dendroica tigrina*	617
Paruline triste		*Oporornis philadelphia*	642
Paruline verdâtre		*Vermivora celata*	607
Passerin indigo		*Passerina cyanea*	692
Perdrix grise*		*Perdix perdix*	201
Petit Blongios	Petit Butor	*Lxobrychus exilis*	074
Petit Chevalier*		*Tringa flavipes*	244
Petit Fuligule	Petit Morillon	*Aythya affinis*	123
Petit Garrot		*Bucephala albeola*	126
Petit Pingouin		*Alca torda*	317
Petit-duc maculé		*Otus asio*	361

Nomenclature officielle	Ancienne appellation	Nom scientifique	N° du feuillet
Petite Buse*		*Buteo platypterus*	157
Petite Nyctale		*Ægolius acadicus*	377
Phalarope à bec étroit	Phalarope hyperboréen	*Phalaropus lobatus*	272
Phalarope de Wilson*		*Phalaropus tricolor*	271
Phalarope roux		*Phalaropus fulicaria*	270
Pic à dos noir*		*Picoides arcticus*	429
Pic à tête rouge		*Melanerpes erythrocephalus*	416
Pic chevelu*		*Picoides villosus*	422
Pic flamboyant*		*Colaptes auratus*	408
Pic maculé		*Sphyrapicus varius*	419
Pic mineur*		*Picoides pubescens*	423
Pic tridactyle		*Picoides tridactylus*	430
Pie-grièche grise		*Lanius excubitor*	567
Pie-grièche migratrice		*Lanius ludovicianus*	568
Pigeon biset		*Columba livia*	341
Pioui de l'est*		*Contopus virens*	460
Pipit d'Amérique		*Anthus rubescens*	562
Plongeon catmarin	Huart à gorge rousse	*Gavia stellata*	004
Plongeon huard*	Huart à collier	*Gavia immer*	001
Pluvier argenté		*Pluvialis squatorola*	228
Pluvier bronzé*	Pluvier doré d'Amérique	*Pluvialis dominica*	227
Pluvier kildir		*Charadrius vociferus*	225
Pluvier semipalmé*		*Charadrius semipalmatus*	221
Pluvier siffleur		*Charadrius melodus*	222
Puffin des Anglais		*Puffinus puffinus*	020
Puffin fuligineux		*Puffinus griseus*	019
Puffin majeur		*Puffinus gravis*	017
Pygargue à tête blanche		*Halieetus leucocephalus*	169
Quiscale bronzé*		*Quiscalus quiscula*	678
Quiscale rouilleux		*Euphagus carolinus*	675
Râle de Virginie*		*Rallus limicola*	209
Râle jaune		*Coturnicops noveboracensis*	211
Roitelet à couronne dorée		*Regulus satrapa*	557
Roitelet à couronne rubis*		*Regulus calendula*	558
Roselin familier*		*Carpodacus mexicanus*	701
Roselin pourpré*		*Carpodacus purpureus*	699

Nomenclature officielle	**Ancienne appellation**	**Nom scientifique**	**N° du feuillet**
Sarcelle à ailes bleues		*Anas discors*	113
Sarcelle d'hiver	Sarcelle à ailes vertes	*Anas crecca*	112
Sittelle à poitrine blanche*		*Sitta carolinensis*	509
Sittelle à poitrine rousse*		*Sitta canadensis*	510
Sizerin blanchâtre		*Carduelis hornemanni*	708
Sizerin flammé*		*Carduelis flammea*	709
Sterne arctique		*Sterna paradisæa*	300
Sterne de Dougall		*Strerna dougallii*	310
Sterne pierregarin		*Sterna hirundo*	302
Sturnelle des prés		*Sturnella magna*	662
Tangara écarlate*		*Piranga olivacea*	683
Tarin des pins*	Chardonneret des pins	*Carduelis pinus*	710
Tétras à queue fine	Gélinotte à queue fine	*Tympanuchus phasianellus*	190
Tétras du Canada		*Dendragapus canadensis*	182
Tohi à flancs roux		*Pipilo erythrophtalmus*	718
Tournepierre à collier*		*Arenaria interpres*	231
Tourterelle triste*		*Zenaida macroura*	345
Traquet motteux		*Œnanthe œnanthe*	549
Troglodyte à bec court		*Cistothorus platensis*	525
Troglodyte de Caroline		*Thryothorus ludovicianus*	522
Troglodyte des marais*		*Cistothorus palustris*	524
Troglodyte familier		*Troglodytes ædon*	519
Troglodyte mignon	Troglodyte des forêts	*Troglodytes troglodytes*	520
Tyran huppé		*Myiarchus crinitus*	442
Tyran tritri*		*Tyrannus tyrannus*	433
Urubu à tête rouge*		*Cathartes aura*	144
Vacher à tête brune*		*Molothrus ater*	679
Viréo à gorge jaune		*Vireo flavifrons*	578
Viréo à tête bleue		*Vireo solitarius*	579
Viréo aux yeux rouges*		*Vireo olivaceus*	582
Viréo de Philadelphie		*Vireo philadelphicus*	583
Viréo mélodieux		*Vireo gilvus*	584

ANNEXE 3

LISTE CONFORME À L'ORDRE NUMÉRIQUE DU FEUILLET OFFICIEL DE L'ASSOCIATION QUÉBÉCOISE DES GROUPES D'ORNITHOLOGUES (AQGO)

La liste qui suit provient du fichier EPOQ (*Étude de la population des oiseaux du Québec*), monté par Jacques Larivée, de l'Université du Québec à Rimouski, en 1974. L'AQGO a adopté cette liste pour préparer le feuillet d'observations officiel des oiseaux du Québec méridional; l'ordre de présentation a toutefois été remanié au fil des années, ce qui explique les entorses à l'ordre séquentiel normal. L'astérisque qui suit certains noms indique qu'il s'agit de l'une des 118 espèces du répertoire fondamental présenté au chapitre 3.

004 Plongeon catmarin
001 Plongeon huard*
010 Grèbe à bec bigarré*
006 Grèbe esclavon
005 Grèbe jougris
015 Fulmar boréal
017 Puffin majeur
019 Puffin fuligineux
020 Puffin des Anglais
032 Océanite de Wilson
030 Océanite cul-blanc
052 Fou de Bassan*
053 Grand Cormoran
054 Cormoran à aigrettes*
075 Butor d'Amérique*
074 Petit Blongios
063 Grand Héron*
069 Grande Aigrette
070 Aigrette neigeuse
066 Aigrette bleue
067 Héron garde-bœufs
065 Héron vert
072 Bihoreau gris
078 Ibis falcinelle
086 Cygne siffleur
094 Oie rieuse
096 Oie des neiges*
098 Oie de Ross

090 Bernache cravant
089 Bernache du Canada*
118 Canard branchu*
112 Sarcelle d'hiver
107 Canard noir
102 Canard colvert*
110 Canard pilet*
113 Sarcelle à ailes bleues
117 Canard souchet*
109 Canard chipeau
115 Canard siffleur
116 Canard d'Amérique*
121 Fuligule à dos blanc
119 Fuligule à tête rouge*
120 Fuligule à collier*
122 Fuligule milouinan
123 Petit Fuligule
130 Eider à duvet
131 Eider à tête grise
128 Arlequin plongeur
127 Harelde kakawi
136 Macreuse noire
135 Macreuse à front blanc
134 Macreuse brune
124 Garrot à œil d'or*
125 Garrot d'Islande
126 Petit Garrot
140 Harle couronné*
141 Grand Harle
142 Harle huppé
137 Érismature rousse
144 Urubu à tête rouge*
171 Balbuzard pêcheur
169 Pygargue à tête blanche
170 Busard Saint-Martin*
152 Épervier brun*
153 Épervier de Cooper
151 Autour à palombes
156 Buse à épaulettes
157 Petite Buse*
154 Buse à queue rousse*
163 Buse pattue*
168 Aigle royal
178 Crécerelle d'Amérique*
177 Faucon émerillon*
175 Faucon pèlerin
173 Faucon gerfaut
201 Perdrix grise*
182 Tétras du Canada
185 Lagopède des saules
184 Gélinotte huppée*
190 Tétras à queue fine
202 Dindon sauvage
211 Râle jaune
209 Râle de Virginie*
210 Marouette de Caroline
214 Gallinule poule-d'eau
215 Foulque d'Amérique*
205 Grue du Canada
228 Pluvier argenté
227 Pluvier bronzé*
221 Pluvier semipalmé*
222 Pluvier siffleur
225 Pluvier kildir
243 Grand Chevalier*
244 Petit Chevalier*
240 Chevalier solitaire
242 Chevalier semipalmé
239 Chevalier grivelé*
238 Maubèche des champs

236 Courlis corlieu
263 Barge hudsonienne
261 Barge marbrée
231 Tournepierre à collier*
245 Bécasseau maubèche
266 Bécasseau sanderling
258 Bécasseau semipalmé*
259 Bécasseau d'Alaska
252 Bécasseau minuscule*
250 Bécasseau à croupion blanc
251 Bécasseau de Baird
249 Bécasseau à poitrine cendrée*
246 Bécasseau violet
254 Bécasseau variable
257 Bécasseau à échasses
260 Bécasseau roussâtre
265 Combattant varié
255 Bécassin roux
256 Bécassin à long bec
234 Bécassine des marais*
233 Bécasse d'Amérique
271 Phalarope de Wilson*
272 Phalarope à bec étroit
270 Phalarope roux
273 Labbe pomarin
274 Labbe parasite
275 Labbe à longue queue
288 Mouette atricille
289 Mouette de Franklin
291 Mouette pygmée
287 Mouette rieuse
290 Mouette de Bonaparte
285 Goéland à bec cerclé*
283 Goéland argenté*
278 Goléland arctique
282 Goéland brun
277 Goéland bourgmestre
280 Goéland marin*
294 Mouette tridactyle*
297 Mouette de Sabine
310 Sterne caspienne
302 Sterne de Dougall
300 Sterne pierregarin
301 Sterne arctique
311 Guifette noire
320 Mergule nain
318 Guillemot marmette
319 Guillemot de Brünnich
317 Petit Pingouin
321 Guillemot à miroir
330 Macareux moine
341 Pigeon biset
345 Tourterelle triste*
356 Coulicou à bec noir
355 Coulicou à bec jaune
361 Petit-duc maculé
364 Grand-duc d'Amérique*
365 Harfang des neiges*
366 Chouette épervière*
371 Chouette rayée*
373 Chouette lapone*
374 Hibou moyen-duc
375 Hibou des marais
376 Nyctale de Tengmalm
377 Petite Nyctale
382 Engoulevent d'Amérique*
379 Engoulevent bois-pourri
385 Martinet ramoneur
389 Colibri à gorge rubis*
405 Martin-pêcheur d'Amérique*

416 Pic à tête rouge
413 Pic à ventre roux
419 Pic maculé
423 Pic mineur*
422 Pic chevelu*
430 Pic tridactyle
429 Pic à dos noir*
408 Pic flamboyant*
412 Grand Pic*
462 Moucherolle à côtés olive
460 Pioui de l'est*
449 Moucherolle à ventre jaune
451 Moucherolle des aulnes
465 Moucherolle des saules
452 Moucherolle tchébec*
446 Moucherolle phébi*
442 Tyran huppé
433 Tyran tritri*
467 Alouette hausse-col*
475 Hirondelle noire*
469 Hirondelle bicolore*
471 Hirondelle à ailes hérissées
470 Hirondelle de rivage
473 Hirondelle à front blanc*
472 Hirondelle rustique*
477 Mésangeai du Canada*
478 Geai bleu*
488 Corneille d'Amérique*
486 Grand Corbeau
495 Mésange à tête noire*
500 Mésange à tête brune
502 Mésange bicolore
510 Sittelle à poitrine rousse*
509 Sittelle à poitrine blanche*
513 Grimpereau brun

522 Troglodyte de Caroline
519 Troglodyte familier
520 Troglodyte mignon
525 Troglodyte à bec court
524 Troglodyte des marais*
557 Roitelet à couronne dorée
558 Roitelet à couronne rubis*
555 Gobemoucheron gris-bleu
549 Traquet motteux
546 Merlebleu de l'est*
545 Grive fauve*
544 Grive à joues grises
543 Grive à dos olive
542 Grive solitaire
541 Grive des bois
539 Merle d'Amérique*
529 Moqueur chat*
528 Moqueur polyglotte*
530 Moqueur roux*
562 Pipit d'Amérique
564 Jaseur boréal*
565 Jaseur d'Amérique*
567 Pie-grièche grise
568 Pie-grièche migratrice
569 Étourneau sansonnet*
579 Viréo à tête bleue
578 Viréo à gorge jaune
584 Viréo mélodieux
583 Viréo de Philadelphie
582 Viréo aux yeux rouges*
601 Paruline à ailes dorées
606 Paruline obscure
607 Paruline verdâtre
608 Paruline à joues grises
612 Paruline à collier

615 Paruline jaune*
630 Paruline à flancs marron
616 Paruline à tête cendrée
617 Paruline tigrée
618 Paruline bleue*
619 Paruline à croupion jaune*
623 Paruline à gorge noire*
627 Paruline à gorge orangée*
633 Paruline des pins
636 Paruline à couronne rousse
631 Paruline à poitrine baie
632 Paruline rayée
626 Paruline azurée
597 Paruline noir et blanc
651 Paruline flamboyante*
637 Paruline couronnée
638 Paruline des ruisseaux
641 Paruline à gorge grise
642 Paruline triste
644 Paruline masquée*
649 Paruline à calotte noire
650 Paruline du Canada
683 Tangara écarlate*
687 Cardinal rouge*
689 Cardinal à poitrine rose*
692 Passerin indigo
697 Dickcissel d'Amérique
718 Tohi à flancs roux
752 Bruant hudsonien*
753 Bruant familier*
754 Bruant des plaines
756 Bruant des champs
734 Bruant vespéral
725 Bruant des prés*
726 Bruant sauterelle
728 Bruant de Le Conte
730 Bruant à queue aiguë
767 Bruant fauve*
770 Bruant chanteur*
768 Bruant de Lincoln
769 Bruant des marais
764 Bruant à gorge blanche*
760 Bruant à couronne blanche*
744 Junco ardoisé*
773 Bruant lapon
776 Bruant des neiges*
661 Goglu des prés*
665 Carouge à épaulettes*
662 Sturnelle des prés
664 Carouge à tête jaune
675 Quiscale rouilleux
678 Quiscale bronzé*
679 Vacher à tête brune*
673 Oriole du Nord
703 Durbec des sapins*
699 Roselin pourpré*
701 Roselin familier*
714 Bec-croisé des sapins
715 Bec-croisé bifascié
709 Sizerin flammé*
708 Sizerin blanchâtre
710 Tarin des pins*
711 Chardonneret jaune*
698 Gros-bec errant*
655 Moineau domestique*

ANNEXE 4
Répertoire selon les milieux naturels

Forêts claires, lisières, conifères, feuillus, mixtes, sous-bois, buissons

Autour des palombes
Bécasse d'Amérique
Bruant à gorge blanche
Bruant chanteur
Bruant de Lincoln
Bruant familier
Bruant fauve
Cardinal à poitrine rose
Cardinal rouge
Colibri à gorge rubis
Durbec des sapins
Épervier brun
Épervier de Cooper
Geai bleu
Gélinotte huppée
Grand Corbeau
Grand Pic
Grand-duc d'Amérique
Grimpereau brun
Grive à dos olive
Grive des bois
Grive fauve
Grive solitaire
Gros-bec errant
Jaseur boréal
Jaseur d'Amérique
Junco ardoisé
Merle d'Amérique
Mésange à tête noire
Mésangeai du Canada
Moqueur chat
Moqueur roux
Moucherolle à ventre jaune
Moucherolle des aulnes
Moucherolle tchébec
Oriole du nord
Paruline à calotte noire
Paruline à collier
Paruline à couronne rousse
Paruline à flancs marron
Paruline à gorge orangée
Paruline à joues grises
Paruline à poitrine baie
Paruline à tête cendrée
Paruline bleue
Paruline couronnée
Paruline des ruisseaux
Paruline du Canada
Paruline flamboyante
Paruline jaune
Paruline masquée
Paruline noir et blanc
Paruline obscure
Paruline tigrée
Paruline triste
Petite Buse
Pic à dos noir

Pic chevelu
Pic flamboyant
Pic maculé
Pic mineur
Quiscale bronzé
Quiscale rouilleux
Roitelet à couronne dorée
Roitelet à couronne rubis
Roselin familier
Roselin pourpré
Sitelle à poitrine blanche
Sitelle à poitrine rousse
Sizerin blanchâtre
Sizerin flammé
Tarin des pins
Troglodyte mignon
Tyran huppé
Viréo à gorge jaune
Viréo à tête bleue
Viréo mélodieux

CHAMPS, LE LONG DES ROUTES, PRÉS, FERMES HERBEUSES, VILLES, BANLIEUE

Alouette hausse-col
Bruant chanteur
Bruant des neiges
Bruant des prés
Bruant hudsonien
Busard Saint-Martin
Buse à épaulettes
Buse à queue rousse
Buse pattue
Cardinal à poitrine rose
Cardinal rouge
Carouge à épaulettes
Chardonneret jaune
Colibri à gorge rubis
Corneille d'Amérique
Crécerelle d'Amérique
Étourneau sansonnet
Goéland à bec cerclé
Goglu des prés
Hirondelle à front blanc
Hirondelle rustique
Maubèche des champs
Merle d'Amérique
Merlebleu de l'est
Moineau domestique
Moqueur polyglotte
Moucherolle phébi
Perdrix grise
Pie-grièche grise
Pigeon biset
Pluvier kildir
Quiscale bronzé
Roselin familier
Roselin pourpré
Sturnelle des prés
Tourterelle triste
Tyran tritri
Urubu à tête rouge
Vacher à tête brune

COURS D'EAU, EAUX DOUCES, LACS, ÉTANGS, MARAIS, MARÉCAGES, CÔTES, GRANDES RIVIÈRES, PLAGES

Balbuzard pêcheur
Bernache du Canada
Bécasseau à échasses
Bécasseau à poitrine cendrée

Bécasseau minuscule
Bécasseau sanderling
Bécasseau semipalmé
Bécasseau variable
Bécassin roux
Bécassine des marais
Butor d'Amérique
Canard branchu
Canard chipeau
Canard colvert
Canard d'Amérique
Canard noir
Canard pilet
Canard souchet
Carouge à épaulettes
Chevalier grivelé
Chevalier solitaire
Cormoran à aigrettes
Érismature rousse
Foulque d'Amérique
Fuligule à collier
Fuligule à tête rouge
Fuligule milouinan
Gallinule poule-d'eau
Garrot à œil d'or
Goéland argenté
Goéland à bec cerclé
Goéland marin
Grand Chevalier
Grand Harle
Grand Héron
Grèbe à bec bigarré
Grèbe jougris
Guifette noire
Harle couronné
Harle huppé
Hibou des marais
Hirondelle bicolore
Hirondelle de rivage
Macreuse à ailes blanches
Macreuse à front blanc
Macreuse noire
Marouette de Caroline
Martin-pêcheur
d'Amérique
Mouette de Bonaparte
Oie des neiges
Petit Blongios
Petit Chevalier
Petit Garrot
Phalarope à bec étroit
Phalarope de Wilson
Plongeon huard
Pluvier argenté
Pluvier bronzé
Pluvier semipalmé
Râle de Virginie
Sarcelle à ailes bleues
Sarcelle à ailes vertes
Sterne pierregarin
Troglodyte des marais

GLOSSAIRE

Aigrette: petit faisceau de plumes surmontant la tête (ex.: *Grand-duc*).

Alaires (barres): barres situées sur les ailes (ex.: *Pigeon biset, Cardinal à poitrine rose*).

Arbustaie: zone d'arbustes.

Articulation: jonction du haut et du bas des pattes (genou).

Bavette: haut de la poitrine.

Caducifoliée (forêt): forêt de feuillus (qui perdent leurs feuilles à l'automne).

Calotte: partie supérieure de la boîte crânienne.

Capuchon: partie regroupant la tête, la nuque, le menton, la gorge et la poitrine, pour autant que les plumes de cet ensemble sont de même couleur et se distinguent du reste du corps (ex.: *Mésange à tête noire*).

Carex: herbage aquatique.

Carrelé: dont les motifs ressemblent à des carreaux (ex.: *Pic mineur, Gélinotte huppée*).

Chatoyant: qui a des reflets différents selon la source de lumière; on dit aussi «moiré» (ex.: *Hirondelle noire*).

Collier:	partie du plumage de la robe autour du cou, dont la couleur diffère de celle du reste du corps (ex.: *Canard colvert* mâle, *Martin-pêcheur d'Amérique)*
Coniforme (bec):	en forme de cône (ex.: *Gros-bec errant, Cardinal rouge).*
Couronne:	motif circulaire sur le dessus de la tête (ex.: *Paruline à couronne rousse, Canard d'Amérique* mâle)
Croissant:	motif arrondi, en forme de berceau.
Croupion:	partie dorsale postérieure supportant les plumes de la queue.
Cunéiforme (queue):	replié en forme d'angle (ex.: *Quiscale bronzé, Grand Corbeau).*
Damier (en):	carrelé (ex.: *Plongeon huard).*
Décidue (forêt):	forêt de feuillus.
Dodu:	rondelet (ex.: *Tourterelle triste).*
Encochée (queue):	qui présente une petite entaille (ex.: *Hirondelle bicolore).*
Favoris:	moustaches latérales (ex.: *Crécerelle d'Amérique).*
Fourchue (queue):	en forme de U (ex.: *Hirondelle rustique)*
Gulaire (poche):	poche attachée à la gueule (ex.: *Cormoran à aigrettes).*
Huppe:	touffe de plumes située sur la tête (ex.: *Jaseur d'Amérique,*

Grand Héron, Gélinotte huppée, Geai bleu, Martin-pêcheur d'Amérique).

Iris:	partie colorée de l'œil.
Irisé:	aux couleurs de l'arc-en-ciel (ex.: *Canard branchu).*
Limicole:	qui vit sur la vase ou dans les marécages (ex.: *Bécasseau semipalmé,* oiseaux de rivage).
Lisière:	bordure (de forêt).
Lustré:	brillant (ex.: *Hirondelle bicolore).*
Marbrures:	taches irrégulières (ex.: *Bécassine des marais).*
Miroir:	motif encadré (ex.: les miroirs bleus du *Canard colvert* enserrés de deux lignes blanches).
Oculaire (anneau):	qui entoure l'œil (ex.: *Grive fauve).*
Palmés (doigts):	rattachés entre eux par une pellicule (ex.: *Canard noir, Bécasseau semipalmé).*
Pectoral:	relatif à la poitrine.
Pessière:	boisé où domine l'épicéa (épinette).
Raie:	bande mince et longue (ex.: *Paruline jaune, Paruline à tête cendrée).*
Rayure:	chacune des bandes qui se détachent sur un fond de couleur différente (ex.: *Bruant à couronne blanche).*

Rectrices: plumes principales de la queue.

Rutilant: qui brille d'un vif éclat (ex.: *Colibri à gorge rubis).*

Scirpes: herbages aquatiques.

Sous-caudales: plumes molles recouvrant la base inférieure des rectrices.

Sus-caudales: plumes molles recouvrant la base supérieure des rectrices.

Superciliaire: relatif au sourcil.

Svelte: qui donne une impression de légèreté, d'élégance (ex.: *Moqueur polyglotte, Merle d'Amérique).*

Trapu: ramassé sur lui-même (ex.: *Étourneau sansonnet, Bécasse d'Amérique).*

Vermiculé: qui présente l'aspect de petits sillons parallèles de forme irrégulière (ex.: *Canard pilet* mâle).

INDEX

TABLE DES MATIÈRES

Achevé d'imprimer au Canada
sur les presses de l'imprimerie Interglobe